JN014558

コミュニケーション科叢書③

「5分の1黒板」からの授業革命

新時代の白熱する教室のつくり方

菊池 省三

菊池道場
徳島支部

中村堂

「5分の1黒板」からの授業革命
新時代の白熱する教室のつくり方

○　も　く　じ　○

「5分の1黒板」で
授業に革命を起こそう
～これからの時代の白熱する教室のつくり方～

「5分の1黒板」で授業に革命を起こそう
～これからの時代の白熱する教室のつくり方～

菊池道場 道場長　菊池　省三

1　令和時代の対話・話し合い指導とは

　本著は、先達の実践に学び、菊池実践を通して、これからの教育に必要な対話・話し合い指導のあり方を示したものです。

　私の40年間のコミュニケーション指導を通してたどり着いた、令和時代における「白熱する教室」のつくり方を示したものです。

　昭和57年に北九州の小学校の教壇に立ち、討論の授業に憧れながら、先達からも、その時々の実践者からも学び続けました。

　向山洋一氏の指名なし討論では、教育技術の必要性を学ばせていただきました。例えば、4年生「雪国のくらし」における討論授業では、途切れることなく考えを述べ合う子どもたちの事実に驚かされました。発表中心の授業をしていた教職に就いて間もない私には衝撃でした。

　築地久子先生の討論授業にも出合いました。座席指導案、個人カルテを活用して展開される授業に圧倒されました。動画「バスの運転手さんはみんなにお金を分けてあげるべきか」の2年生児童の姿は想像を超えていました。学級づくりと連動する討論の授業に魅了されました。

　20代の私は、「いつかこのような討論の授業をしてみたい」と憧れの気持ちで、これからの自分の授業を考え続けていました。

　スピーチ指導からスタートして30代になった私は、その後「教室ディベート」に出合いました。実践を通して、学級づくりとかみ合った話し合いを同時進行で進めることができる「学級ディベート」に、私の実践は大きく動いていきました。今の私の実践の中心の1つです。

●菊池省三の仕事

年	年齢	教員経験年数	勤務校	担当学年	出来事／仕事
1959年 （昭和34年）					愛媛県に生まれる
1975年 （昭和50年）	16				愛媛県立大洲高校入学
1978年 （昭和53年）	19				愛媛県立大洲高校卒業。国立山口大学入学
1982年 （昭和57年）	23	1	足原北九州市立小学校	4	国立山口大学卒業。福岡県北九州市で小学校教員として採用
1983年 （昭和58年）	24	2		5	
1984年 （昭和59年）	25	3		6	「単元学習」と出合う 「大作」にあこがれて、原稿用紙100枚以上の個人文集を作成
1985年 （昭和60年）	26	4		5	
1986年 （昭和61年）	27	5		6	
1987年 （昭和62年）	28	6		2	師匠・桑田泰佑先生と出会い、「全国レベル」の実践をめざし始める 仲間とサークルでの学びを始める（「北九州話し言葉サークル」。その後、「実践教育研究21サークル」） 市毛勝雄先生や野口芳宏先生と出会う
1988年 （昭和63年）	29	7	到津北九州市立小学校	5	
1989年 （平成元年）	30	8		6	
1990年 （平成2年）	31	9		6	自己紹介ができず泣き出してしまう子どもたちを目の当たりにし、コミュニケーショ教育への道をスタートする
1991年 （平成3年）	32	10		3	
1992年 （平成4年）	33	11		4	
1993年 （平成5年）	34	12		1	ディベート実践者(岡本明人先生、藤岡信勝先生、鈴木克義先生等)と出会う
1994年 （平成6年）	35	13	小倉中央北九州市立小学校	5	
1995年 （平成7年）	36	14		6	岡本明人先生、鈴木克義先生が、小倉中央小学校のディベート指導に入る
1996年 （平成8年）	37	15		5	
1997年 （平成9年）	38	16		6	
1998年 （平成10年）	39	17		5	
1999年 （平成11年）	40	18		6	道徳・授業づくりの学びを深める（「道徳教育改革集団」に参加）
2000年 （平成12年）	41	19	香月北九州市立小学校	3	
2001年 （平成13年）	42	20		4	授業づくりネットワークに参加
2002年 （平成14年）	43	21		5	10月 福岡県アンビシャス運動ディベート部門優勝
2003年 （平成15年）	44	22		6	「北九州市 優れた教育実践教員」表彰
2004年 （平成16年）	45	23		5	10月 5年1組の子どもたちと共にメルマガ「新・メルマガキッズ」を発行する 10月 朝日新聞で5回にわたって菊池学級が紹介される 12月 第10回九州地区小学生ディベート大会で優勝
2005年 （平成17年）	46	24		6	「福岡県市民教育賞」受賞
2006年 （平成18年）	47	25	貴船北九州市立小学校	5	1月 「日本教育再興連盟（代表理事:鈴木寛、陰山英男）」に参加 3月 「小学生が作ったコミュニケーション大事典」発行 フジテレビ系列「熱血！平成教育学院」出演 RKB毎日放送で学級の1年間をドキュメント放映
2007年 （平成19年）	48	26		6	4月 「リビング北九州」で「親子でコミュニケーション術」を連載スタート
2008年 （平成20年）	49	27		5	「菊池道場」を始める
2009年 （平成21年）	50	28		6	

年	年齢	教職経験年数	勤務校	担当学年	出来事／仕事
2010年　（平成22年）	51	29	北九州市立貴船小学校	6	
2011年　（平成23年）	52	30		6	1月　朝日新聞全国版元旦号1面「答えは対話の中に」掲載 文部科学省による学級視察(2回) 3月　文部科学省作成リーフレット「『子ども熟議』のすすめ」執筆 7月　文部科学省「『熟議』に基づく教育政策形成の在り方に関する懇談会」委員就任 7月　NHK福岡放送局「特報フロンティア」に出演
2012年　（平成24年）	53	31	北九州市立小倉中央小学校	6	7月　「小学校発！一人ひとりが輝くほめ言葉のシャワー(日本標準)」を発行 7月　NHK「プロフェッショナル　仕事の流儀」に出演 9月　日本テレビ系列「ＮＥＷＳ　ＺＥＲＯ」に出演
2013年　（平成25年）	54	32		5	1月　テレビ東京系列「「たけしのニッポンのミカタ！」に出演 7月　第1回「ほめ言葉のシャワー」全国大会を大阪市で開催 10月　NHK(関東・甲信越地方)「首都圏スペシャル」に出演
2014年　（平成26年）	55	33		6	7月　第2回「ほめ言葉のシャワー」全国大会を北九州市で開催
2015年　（平成27年）	56				3月　退職 7月　第3回「ほめ言葉のシャワー」全国大会を神戸市で開催 7月　「全国ネット菊池道場」正式発足 7月　菊池道場機関誌「白熱する教室(季刊・中村堂)」発行スタート 12月　日本テレビ系列「世界一受けたい授業」に出演 12月　ほめ達！Of The Year 2015　文化・教育部門受賞
2016年　（平成28年）	57				高知県いの町教育特使、大分県中津市教育スーパーアドバイザー、三重県松阪市学級経営マイスター就任 4月　ドキュメンタリー映画「挑む」完成 7月　フジテレビ系列「バイキング」に出演 7月　第4回菊池道場全国大会を広島市で開催
2017年　（平成29年）	58				7月　ドキュメンタリー映画「ニッポンの教育」完成 7月　第5回菊池道場全国大会を高知県いの町で開催
2018年　（平成30年）	59				4月　岡山県浅口市学級経営アドバイザー委嘱 4月　東京書籍「げんきの根っこ」発行スタート 7月　NPO法人日本スクールコーチ協会顧問就任 7月　第6回菊池道場全国大会を東京で開催 10月　読賣新聞「新聞＠スクール／先生の相談室」回答者 11月　教育新聞連載 「『成長の授業』を創る－菊池実践11の柱－」
2019年　（平成31年／令和元年）	60				4月　山梨県富士河口湖町教育アドバイザー委嘱 4月　菊池道場春祭り(菊池省三道場長還暦記念大会)を松山市で開催 7月　第7回菊池道場全国大会を東京で開催 10月　兵庫県西脇市スーパーアンバサダー委嘱 10月　一般財団法人日本児童教育振興財団主催「実践！わたしの教育記録」審査委員就任
2020年　（令和2年）	61				4月　滋賀県湖南市学力向上アドバイザー委嘱 4月　社会福祉法人任天会顧問就任 11月　公益財団法人西日本あんしん社会財団主催「いのちの作文コンクール」審査副委員長就任
2021年　（令和3年）	62				1月　第8回菊池道場全国大会を東京で開催(オンライン併用) 8月　第9回菊池道場全国大会を福島で開催(オンライン併用) 9月　ドキュメンタリー映画「教師×人間　菊池省三」完成

　その後、「荒れた学校」を経験する中で、社会に参画する態度や自治的な態度を育てる「子ども熟議」と出合いました。他者と協同しながら合意形成を図る対話の指導です。この「子ども熟議」も先に述べた「学級ディベート」と共に、私の実践の軸になっているものです。

学級ディベート

子ども熟議

　このような学びを通して、何年も実践を繰り返しながら、私なりの対話・話し合い指導、そして「白熱する教室」にたどり着いたのです。
　その鍵となるのが、本著で示す「5分の1黒板」の指導なのです。詳しくは第2章以降に譲りますが、討論・話し合い授業成立に必要な、
　○学び合い、つながり合うための学習規律
　○安心感を生み出す温かい関係性
　○対話に必要な態度や技術
　○一人も見捨てない個や集団の価値付け
を日々の授業の中で育てていく指導が、毎時間の「5分の1黒板」の指導を通して可能であり最適であることに確信がもてたからなのです。

2 なぜ、「学級ディベート」「子ども熟議」が実践の軸なのか

　私の中で、「学級ディベート」「子ども熟議」を核とした対話・話し合い指導を重視する理由のひとつが「試案⑥」であります。社会科を例に作成しています。1989年に示された学習指導要領を元に作成したものです。この時から、国が示している方向性は今でも変わっていません。

　それまでの授業は、㋐の「認識的主体としての個人を育成する社会科授業」でした。つまり、領域としての社会科です。意図的、計画的に、知識を「教える」授業です。別の言い方をするなら、「知る」「分かる」をめざす授業です。「過去の認識」で終わる授業です。

　そうではなくて、㋑の「社会的主体（「社会」をつくる）としての個人を育成する社会科授業」をめざすべきであるという考えに立つべきだと示されたと捉えているのです。つまり、人間関係のあり方としての社会科です。社会を形成する個人としての必要な資質のよりよい習得をめざす授業です。それは、「考える」授業であり、「未来の創造」につながる授業です。

　授業観を変える必要性があることをこの時から言われているのです。

　ですから、㋐と㋑では授業の展開も当然変わってくるはずです。「試案⑥」でも示しているように、

　１．社会的な問題を設定し、

　２．その問題解決を実現するための案を出し合い

　３．議論（対話）によって

　４．その解決方法を求めていく

授業が求められているのです。従来の指導過程ではだめなのです。

　このように考えると、生きる力を育む「学級ディベート」や「子ども熟議」の必要性やその価値が見えてきます。現行の学習指導要領で強調されている、「知識の理解の質を高め資質・能力を育む『主体的・対話的で深い学び』」を実現する上でも必要な対話・話し合いの指導法なのです。

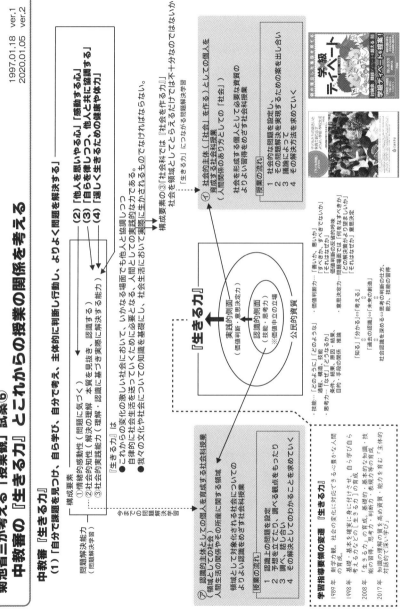

3 菊池がめざしてきた対話・話し合いが成立する白熱する教室とは

　ここでは、様々な菊池実践と「学級ディベート」「子ども熟議」の関係と、それらが「5分の1黒板」にどうつながっていくのかを述べていきます。

　次ページに載せているのは菊池省三が考える「試案①」です。

　「授業観」を④目的、⑧技術、ⓒ土台の3つの柱で構成しています。

　ⓒの土台にあたる教師と子どもが創る自信と安心感のある学級では、菊池実践の象徴的な「質問タイム」「ほめ言葉のシャワー」「価値語」「係活動」などを「成長ノート」と関連させながら行います。キーワードは、「自立・自律・共同」です。

　⑧の教師の指導力で創る授業では、「ペア・グループ学習」「学級ディベート」を中心に対話・話し合いの態度や技術を指導していきます。もちろん「自由な立ち歩きによる話し合い」も行います。「対話」指導は、私はディベートの価値を高く評価しているので、ディベート的な内容になります。つまり、「話す（立証する）→質問し合う（質疑を行う）→説明する（反証する）」の流れを基本とするということです。

　④の考え続ける人間（を育てる）のところでは、ⓒの土台や⑧の技術を指導しながら、白熱する「対話・話し合い学習」の成立をめざしていきます。ここで大事にしているのが「子ども熟議」の考え方です。

　基本形は、「個人で考えを書く→グループで話し合う→全体で話し合う」という流れです。私が重視しているのは、自分の頭と言葉を使って、個人で考え続けるということです。他者と話し合う・対話をするということは、自分の中に新しい気づきや発見があるということであり、正解のないそれらを個人の中で考え続けることであると私は考えています。

　この3つの柱でねらうことや指導することを、「5分の1黒板」を年間を通して活用することで、多様な子どもたちがいるどの教室でも確かな話し合いが成立し、白熱した討論の授業が行われると考えているのです。

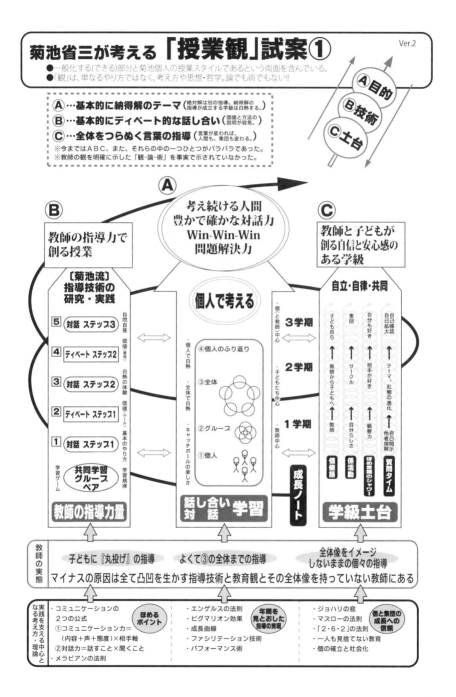

4 「タックマンモデル」で「5分の1黒板」の1年間を構想する

　コミュニケーション科叢書2「社会を生きぬく力は小学校1時間の授業にあった」（中村堂）で、菊池道場愛媛支部長（組織開発コンサルタント）牧野真雄氏に紹介していただいた「タックマンモデル」が下の図です。

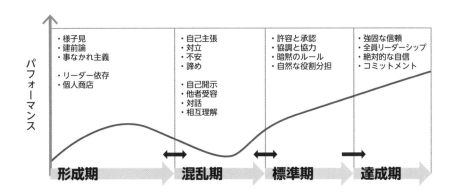

　本著では、このタックマンモデルをベースに「5分の1黒板」の指導のあり方を示しています。

　「形成期→混乱期→標準期→達成期」の各成長段階に合わせて、学級づくりと対話・話し合いの授業づくりを行っていくステップを具体的に提案しています。

　先にも示した白熱した授業成立に必要な、

　○学び合い、つながり合うための学習規律

　○安心感を生み出す温かい関係性

　○対話に必要な態度目標や技術

　○一人も見捨てない個や集団の価値付け

　の年間を見通したポイントやあり方を、丁寧に示し解説しています。そこには、先達から学んだ教育技術や「学級ディベート」や「子ども熟議」の考え方や指導技術も含まれています。

5 「5分の1黒板」を活かす教師のパフォーマンス力

　対話・話し合いを成立させるためには、教師のパフォーマンス力が問われます。従来の一斉指導とは違う授業になるのですから当然です。ファシリテーターとしての教師のあり方が問われるのです。「ライブ力」と言ってもいいかもしれません。各内容の細かな説明は省きますが、「心理的な安心感」を大事にした指導は必要不可欠です。

菊池省三が考える「授業観」試案⑦
「コミュニケーション科」授業ライブ力　　ver.1

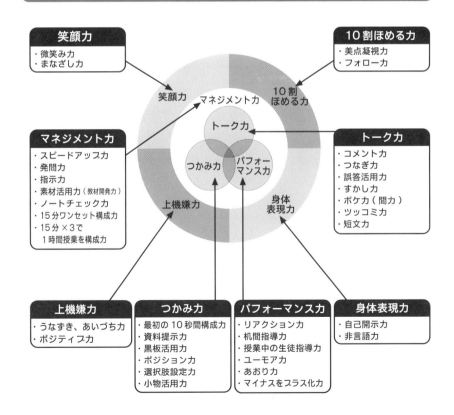

笑顔力
・微笑み力
・まなざし力

10割ほめる力
・美点凝視力
・フォロー力

マネジメント力
・スピードアップ力
・発問力
・指示力
・素材活用力（教材開発力）
・ノートチェック力
・15分ワンセット構成力
・15分×3で
　1時間授業を構成力

トーク力
・コメント力
・つなぎ力
・誤答活用力
・すかし力
・ボケ力（間力）
・ツッコミ力
・短文力

上機嫌力
・うなずき、あいづち力
・ポジティブ力

つかみ力
・最初の10秒間構成力
・資料提示力
・黒板活用力
・ポジション力
・選択肢設定力
・小物活用力

パフォーマンス力
・リアクション力
・机間指導力
・授業中の生徒指導力
・ユーモア力
・あおり力
・マイナスをプラス化力

身体表現力
・自己開示力
・非言語力

6 授業に革命を起こす「5分の1黒板」の可能性

　2021年（令和3年）の今年も飛込授業を続けています。対話的な授業になるように、話し合いが活発になるようにと考えて、毎回「5分の1黒板」を活用しています。1回きりの授業ですが、確かな手ごたえを感じています。

　学び合い、つながり合うための「やる気の姿勢」「切り替えスピード」と書き、繰り返すたびに学び合う雰囲気が出てきます。

　安心感やプラスの関係性を醸成する「一人ひとり違っていい」「自己開示」などの価値語を書くと、教室の中に温かい空気が広がります。

　対話活動時に、「話す・質問する・説明する」や「笑顔→うなずき→あいづち→感想・質問→笑顔」というサイクル図を示すと、一気に対話のあり方やその質も変わります。授業が劇的に変わるのです。

　特に頑張っている子どもを取り上げて、「笑顔の○○さん」「拍手リーダー○○君」と書くと、その子どもたちだけでなく全員が喜びます。
「5分の1黒板」は、学び合う集団づくり、安心感と関係性づくり、対話・話し合いの態度と技術、一人も見捨てない指導などのこれからの学びに必要な指導ポイントを子どもたちに示し育てることができるのです。

　私が教師になる以前から、「討論は高段の芸」と言われていました。確かにそのような側面はありますが、「5分の1黒板」の年間指導によって、誰もが討論の授業を成立させることが可能になると考えています。

～本著に寄せて～

　本著は、「コミュニケーション科叢書」（中村堂）の第３弾です。

　菊池道場徳島支部のみなさんのお力でできました。この企画が決まったあと、何度も徳島での勉強会を繰り返しました。オンラインでの検討会も行いました。隣県の高知県でも高知大学を会場に、他の支部メンバーと共に学びの場をもちました。一連のそれらの学びは、今までにない対話・話し合いの指導法を生み出そう、誰もができる確かな指導の筋道をカタチにしようという取り組みでもありました。

　堀井悠平支部長を中心とした、若い先生方の学びの熱量には毎回圧倒されました。議論の中で出てきたことを謙虚に受け止め、その学びがブラッシュアップされた原稿となって次回には必ず出てきました。

　徳島支部提案の「５分の１黒板」の指導法は、先達の知見を活かしながら、価値語を中心とした菊池実践と連動しながら、タックマンモデルをベースに年間を見通す中で、令和時代の新しい対話・話し合い指導モデルとして進化し続けるであろうと確信しています。

地道な実践を丁寧にまとめていただき本当にありがとうございました。

2021年（令和３年）12月４日　菊池道場 道場長　菊池　省三

「5分の1黒板」が "授業観"を変える

～白熱した対話・話し合いの授業をめざして～

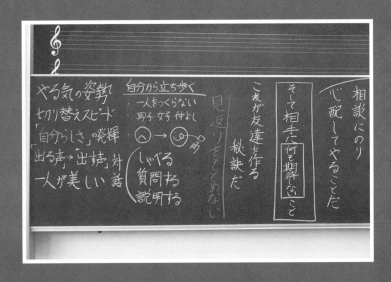

「5分の1黒板」が "授業観" を変える
～白熱した対話・話し合いの授業をめざして～

菊池道場徳島支部　堀井　悠平

1 授業観の転換が「主体的・対話的で深い学び」の実現の鍵になる！

≫「主体的・対話的で深い学び」で、どんな人を育てたいのか

　現行の学習指導要領では、「主体的・対話的で深い学び」の実現が大きな柱となっています。これからの時代に必要な資質・能力を育成するためには、「どのように学ぶか」が一層重視されています。田村学氏は、その点について次のように述べています。

　育成を目指す資質・能力が、一人一人の子供に確かに身に付くようにするために、「どのように学ぶか」が今まで以上に問われることになる。そこでは、これまでのような一方的に知識を教え込む「チョーク・アンド・トーク」の授業や一人一人の子供が受け身の授業を、大きく改善していかなければならない。なぜなら、そうした**受動的で指導者中心の学びでは、実際の社会で活用できる資質・能力が育成されるとは到底考えることができないからだ。**資質・能力とは、それが発揮されている姿や状態が積み重ねられ、繰り返されることによって育成されると考えるべきであろう。**やはり、学習者中心で能動的な学びこそが求められていると考えるべきである。**

　このように、学習者中心の能動的な学びへの転換が求められていることが分かります。

　しかし、「何ができるようになるか」「どのように学ぶか」といった目先のことばかりに意識が向いてしまい、「主体的・対話的で深い学び」を実現することを通して「どんな子どもを育てたいか」という視点が抜け落ちてしまうことが危惧されます（菊池、2021）。

　菊池省三氏は、「主体的・対話的で深い学び」の実現に向けて大切なことは、「アクティブ・ラーナー」を育てる視点をもつことだと言います。そして、「アクティブ・ラーナー」とは「考え続ける人」だと考えています。

　考え続ける人とは、〈一人ひとりが自分らしさ（個性）を理解する→自分らしさの大切さを理解することで他者の"らしさ"の大切さも認めることができる→それぞれが自分の考えを出し合い、対話を通して何かをつくり上げていく・決めていく・変えていく〉ということです（菊池、2021）。

　菊池学級の子どもたちの様子を見たことはあるでしょうか。子どもたち一人ひとりが本当に生き生きと学びに向かっている姿に衝撃を受けます。お互いのことをよく理解し、

それぞれの個性を尊重し合っていることが、自信に満ちあふれた表情からも伝わってきます。このような安心感のある絶対的な関係性が土台となって、それぞれが自分の考えをぶつけ合うことができるのです。

　そして、白熱した話し合いをすることを通して、新しい気づきや発見を楽しむ子どもたちが育っています。個人の中で考え続ける対話・話し合いの価値を、子どもたちはこのような学びの中で実感を伴って理解しているのです。まさに、菊池学級の子どもたちは「考え続ける人」へと成長していると言えるでしょう。

　このように「主体的・対話的で深い学び」を実現するには、教師が「どのような子どもを育てたいか」という視点を明確にもっておくことが大切になります。

≫「教師主導の授業観」から「子ども主体の授業観」への転換が、真の「主体的・対話的で深い学び」を実現する

従来の授業	これからの授業
・教師が一方的に知識を伝達する授業	・子どもが主体の参加型・対話型授業
・知識・技能偏重	・変容（価値判断の質の高まり）重視
・与えられた学び（受動的）	・自らの学び（能動的）
・教師の「教えやすさ」を大切にする	・子どもの「学びやすさ」を大切にする
・授業の型（めあて、ふり返りなど）を重視した授業	・子どもの学習意欲を重視した授業
・「何が分かったか、できたか」	・「どのように変容（成長）したか」

図1　従来の授業とこれからの授業の比較
（菊池省三・菊池道場『子どもたちが生き生きと輝く対話・話し合いの授業づくり』中村堂、2021年を参考に作成）

　「アクティブ・ラーナー」を育てるためには、授業改善を進めていく必要があります。それでは、どのような授業をめざしていけばよいのでしょうか。

　図１は、「従来の授業」と「これからの授業」を表にまとめたものです。ここに書かれているように、教師が一方的に知識を伝達する授業だけでなく、子どもたちが主体の参加型・対話型の授業に切り替えていくことが求められています。それは、子どもたちの学習意欲や自らの変容を重視する、子どもの「学びやすさ」を大切にする授業です。その具体的な実践については、第３章以降に詳しく説明していきます。

　このような授業をめざすにあたっては、授業観を転換することが大きなポイントです。授業観とは、端的に言うと「教師の授業に対する考え

方」であり、日々の授業の根幹にあるものです。図1の表には、それぞれの授業に対する考え方の違いが表れています。

　つまり、従来の「教師主導で一方的に教える知識・技能偏重」の授業観から、「子どもが主体的に学び合う変容重視」の授業観への転換をしていくことが大きなポイントになるのです。

　なぜなら、教師の根幹にある授業観が変わらない限りは、参加型・対話型の手法や形態を取り入れても、その中身は知識の獲得をめざす授業と変わりのないものになってしまうことが危惧されるからです。

　例えば、グループでの話し合いを取り入れても、話し合う内容が、教えたい知識を見つけ出すためだけの活動に留まってしまっていることがあります。もちろん、このような活動をすることがあってもいいのですが、知識や技能の獲得に偏ると、話し合いに参加できない子が出てきてしまいます。子どもたちの学びも受動的になってしまうのです。

　さらに、新型コロナウイルス感染症の拡大にともない、対話的な活動が制限される学校が多く見られる中で、このような状況に拍車がかかってしまっています。京都大学の石井英真氏は、「密を避けねばならないなか、アクティブ・ラーニングどころか一方通行の授業へのゆり戻しも見られ、形だけのアクティブ・ラーニングであったことのもろさが表面化しているように思われます」と指摘しています。

　このような実態からも、「アクティブ・ラーナー」を育てる授業をつくっていくためには、授業観を転換することが大きなポイントであり、授業を変える出発点だと言えます。そして、形式だけに終わらず、真の「主体的・対話的で深い学び」の実現をめざすには欠かせないのです。

　ここまで、授業観の転換の重要性について述べてきました。しかし、授業観を転換することはハードルの高いことです。このハードルを乗り越えていくためのアプローチの1つに、今回提案する「5分の1黒板」があると考えています。ここからは、どうして「5分の1黒板」が授業観の転換につながるのかについて詳しく説明していきます。

2 「5分の1黒板」が授業観を変える "キーステーション"になる

≫「5分の1黒板」には、これからの授業観が凝縮されている

「5分の1黒板」は、教師一人ひとりの教育観や授業観が表れる象徴的な場所ではないかと考えています。繰り返しになりますが、本著がめざすのは、「知識・技能偏重」の授業観ではなく、子どもたちの「変容重視」の授業観です。従来の知識や技能の獲得を重視した授業で危惧されることの一例として、正解主義、減点法の考え方になってしまうことがあります。このような考え方は、「5分の1黒板」にも表れます。

例えば、右の写真のように、「5分の1黒板」のスペースに子どもたちへの伝達事項が書かれているものをよく見かけないでしょうか。

伝達事項を書くこともありますが、あえて授業観の視点から見てみると、教師から子どもへと一方的に伝達する授業観が反映されているように思います。

宿題の未提出者を書くことについても、教師の減点法的な考え方が象徴的に表れているのではないかと考えます。

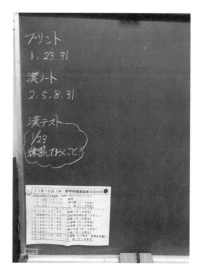

私も、「5分の1黒板」のスペースに同じように書いたことがあります。その時は、マイナスを指摘することでプラスに変えたいと考えていたのでしょう。しかし、ここに名前を書かれた子どもの気持ちや、この黒板を見ている学級の子どもたちのことを考えると反省しかありません。一斉一律に教えよう、揃えなければいけないと力が入れば入るほど、客観的に見ることができなくなってしまうのかもしれません。

「5分の1黒板」の授業観は、一人ひとりの「変容重視」の授業観です。

子どもが知識を身につけたかどうかではなく、どのように変容したか（成長したか）を見るということです（菊池、2017）。一人ひとりの"よさ"を生かしながら、子どもたちが主体的にダイナミックに学び合い、子どもたち同士のつながりの強い学級をめざしています。そのため「5分の1黒板」は、先ほどの減点法的な言葉とは対照的に、子どもたちをほめるために使っています。加点法的な考え方に立っているのです。

　例えば、授業中にうなずきながら聞いていた子がいたとします。

　その瞬間を見逃さずに『今A
さんが発表している時に、Bさ
んがうなずきながら一生懸命に
聞いていました。Bさんのよう
な聞き方を傾聴すると言いま
す。傾聴力のあるBさんに、大
きな拍手をしましょう』と価値
付けながらほめたあと、「5分

の1黒板」に＜**傾聴力**＞と書き残します。子どもたちのよさを価値語というかたちで「見える化」してほめるのです。

　菊池省三氏は、「教師は、子ども同士をつなぐ役割です。そのスタートの段階では、まず、教師が子どもをほめて関係をつくり、"教室は、安心と安全の場所です"ということを実感させることが大切です。教師がほめる姿を見て、周りの子どもたちはその子のことを知り、一人ひとりがかけがえのない存在だという教師の思いが、子どもたちの友達観、人間観になっていくのです」と言います。

　このように、「5分の1黒板」に価値語を書き残すことは、教師の子どもを見るまなざしを変えるだけでなく、子どもの変容を重視する授業観に転換していくきっかけになると考えています。それは、<u>「5分の1黒板」に書かれる価値語は、従来の教師から一方的に知識や技能を伝える授業観との違いを象徴しているからです。</u>

≫ 教師と子どもが創る自信と安心感のある学級の土台づくり

　教室には多様な子が集まっています。従来の一斉指導型の授業では、その凸凹に対応できない状況があると考えます。「主体的・対話的で深い学び」の実現においても、このような凸凹を生かす教師の視点がなければ、なかなかうまくいかないこともあるでしょう。

　そこで、教師と子ども、子ども同士の信頼関係を構築し、教室の子どもたち一人ひとりが安心して学び合い、自分らしさを発揮することができる学級の土台づくりをすることが大切です。

　菊池省三氏は、学級の土台づくりについて次のように述べています。

　<u>私は、学級の土台ができてからアクティブ・ラーニングができるという考えではなく、同時に進んでいくものだと考えています。</u>学級の土台をつくりつつ、その段階にあった形でのアクティブ・ラーニングの手法を取り入れていくことが大切だと思っているのです。そうした進め方をしていかないと、アクティブ・ラーニングは成立しづらいのではないかと考えています。

　このように、日々の授業の中で対話・話し合いの授業を行いながら、同時に学級の土台づくりを行っていくことが大切です。授業の中で、「教える」ことと、「育てる」ことの２つを同時に行っていくということです。授業は最大の生徒指導であると言われますが、教師が「授業＝生徒指導」という指導観をもつことがポイントになります。

　学級づくりの手法として、学級通信やアイスブレイクやゲームといったレクリエーションに関する書籍がたくさん出ています。このような「活動＝学級づくり」と捉えられているケースがあるように思います。

　そのため「授業の中でどうやって学級づくりを行うのか分からない」「具体的なイメージができない」という言葉がよく聞かれます。授業の中で「教える」という意識が強すぎるあまり、「育てる」という視点とその具体的な指導が抜け落ちていたのだと考えます。確かに、これまでの授業の中で「教えながら育てる」という具体的な実践については、あれども見えずの状態だったのかもしれません。

　今回提案する「5分の1黒板」は、授業の中で教えながら育てることを「見える化」した、具体的な実践です。学級づくりの時間を特別に確保しなくても、授業内外問わず繰り返し活用し、個や集団の成長を促すことができるのが大きな特徴だと考えています。

　菊池省三氏は、「荒れた学級をどう立て直してきたのか、私自身の経験をふり返ってみると、〈感化〉を前面に押し出したことで、子どもが変わっていったことに気づきました」と述べています。

　その感化を象徴するのが、「5分の1黒板」に書かれる「価値語」です。つまり「5分の1黒板」で価値語を教えていくことは、授業の中で子どもたちを育てることにつながるのです。

　学級開きの時に簡単な自己紹介をしていた時のことです。発表している友達に体を向けて聞いていた子がいました。そこで、「5分の1黒板」に＜正対する＞と書き、

『今Aさんが発表している時に、Bさんが体を向けて聞いていました。体を向けることを＜正対する＞と言います。友達のことを大切にしていることが正対して聞く姿から伝わってきました』

　と価値付けながらほめました。このように「5分の1黒板」に価値語を植林していくことで、子どもたちは、正対することの価値や意味を次第に理解し、自分からすすんで行動するようになります。価値語を得た子どもたちは、感化され積極的にプラスの行動をとるようになるのです。

　このように「変容重視」の授業観では、**子どもの変容・成長に力点を置くことになるため、認める観点がいくつも見つかります。たとえ小さな変容でも、その子にとっては大きな変容と捉えるからです**（菊池、2016）。

「5分の1黒板」は、子どもたちをほめて育てるために使います。ほめることは、教室に自信と安心を生み出します。そして、一人ひとりにそれらは張り巡らされ、学び合い、つながり合う、絆の強い学級の土台が醸成されていくのです。

≫≫ 子どもたちの言葉から「5分の1黒板」の可能性を見い出す！

　子どもたちは、「5分の1黒板」をどのように捉えているのでしょうか。

　以下は、5年生の2学期に「『5分の1黒板』には、どのようなメリットがあるだろうか？」というテーマで子どもたちにアンケートをとった時に出てきた言葉です。それらをいくつかの内容に分類しています。

　子どもたちの言葉から、「5分の1黒板」の効果とその可能性を見出したいと思います。

【自分や友達、学級全体の成長につながる】

○自分のことを書いてもらえると成長したことを実感できる

○黒板の価値語を見て「成長したい」と思える

○学級が成長することができる

○一人ひとりのよさを引き出せる

○みんなのいいところを知ることができる

【価値語を植林することができる】

○目に入るところにあるので価値語を何度も確認することができる

○大事なことをずっと残しておくことができる

○新しい言葉（価値語）を知ることができる

○価値語を言われるだけではすぐに忘れるが、「5分の1黒板」に
　書くと記憶に残りやすい

○価値語の意味もセットで知ることができる

○授業中に勉強しながら、同時に価値語を学ぶことができる

【コミュニケーション力が高まる】

○その価値語を使ってみたいと思う

○価値語を知ることで言葉遣いがよくなる

○「ほめ言葉のシャワー」の時に黒板の価値語を使ってほめられる

○発表する時や対話する時に価値語を意識して活動ができる

○価値語が話し合う力を成長させてくれる

○白熱した話し合いができるようになる（ディベート指導など）

【学級の関係性や雰囲気がよくなる】
○いい空気感の中で学習することができる
○黒板に書かれたことを実行すると雰囲気がよくなる
○価値語があることで友達とのつながりが多くなる
【学びに向かう心構えができる】
○授業中にチラッと目に見えて、頑張ろうと思える
○黒板を見て気持ちが引き締まる
○やる気が心の底から湧いてくる
○自分だけの目標を決めて1日を過ごすことができる
○勇気づけてくれて、挑戦しようと思える
【自分自身と向き合うことができる】
○黒板の価値語を見て、自分のことをふり返ることができる
○その後の学習や生活に生かすことができる

　多くの子どもたちが、「価値語が何度も確認できる」「価値語が覚えられる」と書いていました。価値語が「見える化」される「5分の1黒板」は、子どもたちの言葉の力やコミュニケーション力を育む上で効果的であることが分かります。

　また、「5分の1黒板」がキーステーションとなり、子どもたちの学びに向かう主体性を引き出し、学び合う空気感をつくることにもプラスの影響を与えています。白熱する教室の土台となる空気感や関係性を築く上でも有効だと言えるでしょう。関係性の強い学級集団をつくっていくことにも効果的だと言えるのではないでしょうか。

　そして、「5分の1黒板」を通して、自己の成長や、友達や学級全体の成長を知ることができるということは注目すべき点です。特に「5分の1黒板」を見て目標を決め、自己をふり返ることができるという点は、確立した個を育てるというゴールに向かう上で重要な役割を果たします。

　以上のことからも、「5分の1黒板」が、白熱する教室をつくる上で有効な実践であると言えるでしょう。

3 「5分の1黒板」で、白熱する教室をめざす

≫「5分の1黒板」で対話・話し合いを動かす

「主体的・対話的で深い学び」の実現に向けて、ペアやグループ等の話し合い活動を取り入れた授業実践が多くの教室で行われています。ところが、その多くは「○○について、ペアの友達と話し合いましょう」「グループの考えをホワイトボードにまとめましょう」といった形式的な指示のもと行われていることが多いように思います。このような丸投げの指導では、子どもたちが意欲的に対話・話し合いの授業に参加することは難しいでしょう。そのため、次のような悩みをよく聞きます。

「ペアやグループでの話し合いが続かない」

「一部の子しか発言をしない」

「仲のよい子としか話さない」

　従来の一斉指導型の授業と違い、対話・話し合いの授業は子どもたちの活動が中心です。子どもたちの動きを伴った活動になるため、当然、指示の仕方は変わってきます。一斉指導での指示をそのままもち込んでも、うまくいかないのはそのためです。

　そこで、「5分の1黒板」を使って、対話・話し合いの授業で子どもたちが主体的に学び合うことができるように促していきます。これからの時代の対話・話し合いの授業における、新しい指示の在り方が「5分の1黒板」をキーステーションにして展開されるのです。

　例えば、右の写真のように、＜①しゃべる ②質問する ③説明する＞と書きます。「5分の1黒板」に書くことで、子どもたちは、対話・話し合いの基本形を何度も

確認しながら活動を行うことができます。それぞれに自分の考えを言うだけの"発表"ではなく、相手と言葉を交わし合う"対話・話し合い"を促すのです。

また、望ましい態度を促すために＜えがお＞＜リアクション＞＜うなずき＞といった価値語を書くこともあります。

従来の教師の説明を中心とした一斉授業では、このような望ましい対話・話し合いでの態度を示すことはあまり重視されなかったのではないでしょうか。しかし、子どもたちが主体的に学び合う対話・話し合いの授業においては、これらはよりよい学びに向かうために必要な要素なのです。これは、学習者を主体にした授業観に立っていることが象徴的に表れている例だと考えます。

上に書いている具体例は、新学期の初期の段階（形成期）で子どもたちに示す価値語です。第3章以降に詳しい説明を書いていますが、子どもたちの成長の段階に応じて、「5分の1黒板」に書く価値語は変化していきます。それぞれの段階で対話・話し合いで必要な動きや態度の指導の積み重ねによって、次の段階へと成長することができるのです。

このように「5分の1黒板」を使って、子どもたちが対話・話し合いで望ましい動きや態度を繰り返し促すことによって、定着と進化を積み重ねていくことが大切です。蓄積の連続によって、学び合いのある対話・話し合いの授業を展開することができるのです。

≫「5分の1黒板」がめざすのは、白熱する教室をつくること

ここまで「5分の1黒板」を活用することが、対話・話し合いの授業のキーステーションとしての役割を果たしていることについて述べてきました。「5分の1黒板」を使って対話・話し合いを促すその先にあるのは、"白熱する教室をつくる"ことだということです。

菊池省三氏は、白熱する教室について「白熱した雰囲気になることをめざしているのではありません。他者との対話・話し合いを通して、自分の中に新たな気づきや発見を得て、正解のないそれらを自分の頭と言

葉を使って個人で考え続けることです」と述べています。

　内側の白熱と表現されるように、自分の頭の中で考えが揺れ動き、追求し続ける状態をめざしているのです。

　それでは、白熱する教室について具体的な行為を挙げていきましょう。

資料「白熱する教室」の具体的な行為像55

1. 一部ではなく全体で白熱した話し合いをすることができる
2. 1つ1つの動き（立つ・座る・話し合う他）が速い
3. 指示・発問への反応が速い
4. 先を読んで動くことができる
5. どんな授業展開であっても楽しむことができる
6. 教師やゲストティーチャーにも敬語でのコミュニケーションを積極的にとれる
7. 初めて会う方にも自分から関わることができる
8. 質問をして新しい気づきや発見をすることを楽しむ
9. 質問をされても、すぐに答えることができる
10. 即興で自分の考えを話すことができる
11. 話し合いを途切れさせるような発言が出ない（例：「分かりません」「知りません」）
12. 連続質問をして考えを掘り下げることができる
13. 家庭学習で話し合いについて調べ学習を自主的にしてくる
14. 休み時間にも話し合いの準備や話し合いの続きをしている
15. インターネットや本を利用して証拠となる事実を探している
16. 自分にあったノートづくりができる
17. 根拠のある考えを複数もつことができる
18. テーマについて両面から考えることができる
19. 友達の意見を聞いて、新たな気づきや発見を得ることを楽しむ
20. 話し合いの基本形が身についている
21. 論題について質問し、言葉の定義をはっきりさせようとする

---

22. 相手の意見に質問をして主張をきちんと理解しようとする
23. 相手の意見の不十分な点について質問や反論をする
24. 身ぶり手ぶりを入れながら必死に自分の考えを伝える
25. 話し言葉の中に「あの〜」「えーっと」が出てこない
26. 短文を連打して話している
27. 三角ロジックを意識しながら話したり聞いたりすることができる
28. クッション言葉が豊富に身についている
29. うなずいたり、あいづちを入れたりしながら聞くことができる
30. 友達のよいところに自然と拍手ができる
31. 話し合い全体を見て必要な時に議論に参加することができる
32. 人と意見を区別することの意味や価値を理解している

33. 話し合いでは白熱した議論をしても、休み時間には楽しく話したり遊んだりできる
34. ほめ言葉のボキャブラリーが豊富である
35. 圧倒的な語彙量がある
36. 分からない言葉があれば、自ら辞書を引く
37. 必要に応じて動くことができる（資料を見る、相談する）
38. 友達のことを多面的に見ることができる
39. 意見の「見える化」をしている
40. 教室にメインとサブの話し合いが生まれる
41. 自分たちで声をかけ合って学級を動かすことができる
42. 「反論はありますか？」「感想はありますか？」に手が挙がる

43. 自由な交流場面で、白熱した話し合いができる

44. 対立ではなく協同する話し合いができる

45. ちょうどよい声の大きさで話すことができる

46. 話し合いの中でフォロー発言をすることができる

47. 何気ない問いでも自然と白熱する

48. 議論が逸れた時には修正することができる

49. 指名なしでも自分から立って発言することができる

50. 一人ひとりの発言量が多い（発言の長さも長くなる）

51. 集団の中での自分の役割を理解している

52. 最終的には自分の学びに落とすことができる

53. 自己開示できる安心感のある学級集団になっている

54. 温かい関係性を築くためにコミュニケーションの取り方を工夫している

55. 一人ひとりの違いを尊重し、生かし合う関係性ができている

　このように、具体的なゴールイメージをもつことは極めて重要です。この55の具体的なイメージは、菊池省三氏の授業動画を参考にしたものです。本著36ページに掲載のQRコードから菊池省三氏の教室の「ディベート的な話し合い」と、「子ども熟議」での話し合いの2つの授業動画をご覧いただくことができます。白熱する教室のイメージを広げていってください。

≫ 先達の実践に学び、「5分の1黒板」でこれからの対話・話し合いの授業を切り開く

　かつて、向山洋一氏は指名なし討論のステップとして「指名なし朗読」「指名なし発表」「指名なし討論」を提唱しました。子どもたちが主体的に話し合うためには、討論の授業は"高段の芸"であると言い、子どもたちが燃える発問をつくることの大切さや、教師の力量が子どもたちの討論での姿に大きく影響することなどを述べています。

　築地久子氏は「座席表カルテ」を活用して、授業の中で個を位置づけながら「自立した子」を育てる授業実践を行いました。築地氏の討論の授業では、教師が「だんまり」を決めて子どもたちが主体的に動き出すのを待つことや、話し合いを動かすために必要な話型を教えて、自分たちで討論を組織できるようにしています。"個"にこだわり、年間を通して指導していくそのプロセスを専門家が分析を加えながら述べています。

　その後、「教室ディベート」が出てきました。これまで討論の指導の難しさが指摘されてきましたが、ディベートの技術を教えることによって、討論の指導はきわめて明解なものになる（二杉、1995）として注目を集めました。

　このように、子どもたち主体のダイナミックな対話・話し合いの授業は、先達の優れた実践の中にもありました。それに憧れ多くの先生方が、討論の授業にチャレンジしていったのです。それは、「主体的・対話的で深い学び」の実現をめざす現在であれば、なおさらのことです。

　そして、「指名なし討論」「カルテ」「教室ディベート」に変わる第4の対話・話し合い指導として提案したいのが「5分の1黒板」です。これまでの実践との違いは、「5分の1黒板」は、教室の関係性を重視しているという点です。これまで以上に、教室には多様な子どもたちが集まっている現在やこれからにおいて、白熱した対話・話し合いの授業には、教師と子ども、子ども同士の関係性を築くことが必要不可欠なのです。「5分の1黒板」は、教室に豊かな関係性を築きながら、子どもたちの話し合う力を育てることができる実践だと、これまでの事実から確信しています。

　ここまで「5分の1黒板」が授業観を変える可能性があること、その先に白熱する教室があることについて説明してきました。次章では、どのように白熱した対話・話し合いの授業に向かっていくのか、1年間の指導のステップと「5分の1黒板」の全体像について説明していきます。

特典
（オリジナル動画視聴）

① 菊池学級
「ディベート的な話し合い」（54分50秒）
https://youtu.be/vxJ_GiMmuXA

② 「子ども熟議」（31分23秒）
https://youtu.be/HEIRHLs7WlY

◆ イメージ動画「５分の１黒板」
https://youtu.be/AD-HEkEg6ec

白熱する教室をつくる
「５分の１黒板」の全体像

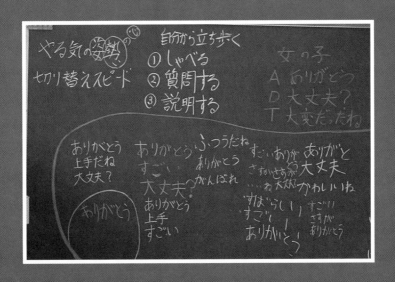

白熱する教室をつくる
「5分の1黒板」の全体像

菊池道場徳島支部　堀井　悠平

≫ 第3章のねらい

　第2章では、「5分の1黒板」が、白熱した対話・話し合いの授業を
めざしていると書きました。菊池学級の話し合いの様子を映像で見られ
た方は、あの圧倒的な語彙量やコミュニケーション量、生き生きと学び
合う子どもたちの姿に衝撃を受けたことでしょう。白熱した話し合いの
イメージは、授業映像を見るとイメージできますが、そこまでのプロセ
スを詳しく知りたいという方が多いのではないでしょうか。

　私も、話し合いの指導については、「子どもたちは楽しそうに活動を
行っているが、菊池学級のような白熱した議論には近づけない」「どん
な指導をすれば、あのような話し合いになるのか？」ということをずっ
と考えていました。

　そんな時に、『写真で見る 菊池学級の子どもたち「価値語」で人間を
育てる』（中村堂、2014年）という本から1つのヒントを得ました。そ
の本に掲載されていた菊池省三氏の話し合いの授業の板書に、話し合い
で大切にしたいポイントが書かれていたのです。（次ページ写真参照）

　その一部を、紹介します。

・人と意見を区別する　　・思考の幅を広げる　　・理由＝自分らしさ
・強い学び手　　・番を考える　　・考えることはエンドレス

　菊池省三氏は、学級の成長の段階に合わせて対話・話し合いの授業を
行い、その中で「5分の1黒板」に価値語を示して必要な考えや学び方等
を指導していることに気づきました。それからは、菊池省三氏の板書写真

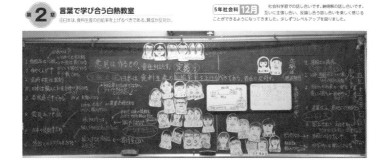

を見つけては保存し、話し合いの授業の中で真似をするようになりました。そして、実践を通してそれぞれの価値語の意味を落とし込んでいきました。

　実践を続ける中で見えてきたことは<u>「5分の1黒板」に書く価値語は、白熱した話し合いに向けてのステップになっている</u>ということです。もちろん、菊池学級の白熱した話し合いの授業は、他の実践が複合的に絡んでいるのですが、やはりその核には、子どもたちを成長に導く価値語があり「5分の1黒板」があると考えました。

　そこで、第3章では「5分の1黒板」を使って白熱した対話・話し合いの授業に向かっていくステップとその全体像を示します。この1年間の全体像を描き出すために、次の3つから構成されています。

　1つめは、「タックマンモデル」と言われるチームの成長段階を参考に、1年間の学級の成長についてまとめました。このタックマンモデルは、4つの段階に分類されており、段階ごとで「5分の1黒板」に示す価値語も変化していきます。

　2つめは、「5分の1黒板」の価値語を4つのカテゴリーに分類して、それぞれについて具体例を入れながら詳しく説明しています。また、上に書いたように1年間の中で4つのカテゴリーの比重や「5分の1黒板」の使い方の変化についても触れています。

　3つめは、白熱した対話・話し合いの授業の核となる4つの学習活動について説明しています。それぞれの学習活動の意図や、その活動で「5分の1黒板」にどのような価値語を書くのかをまとめました。

1 タックマンモデルを参考にした「学級の成長４段階」

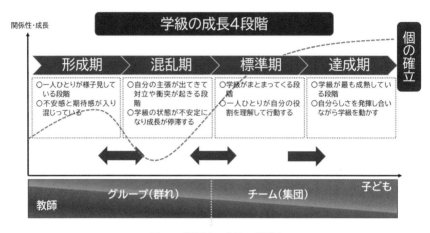

図１　「学級の成長４段階」

　白熱した対話・話し合いが成立する学級は、子どもたち同士の関係性が豊かで、主体的に学びに向かう自律した個の集まりです。それぞれが共通の目標（学級目標）の達成をめざすチームであると言えます。

　チームの成長は、４つの成長の段階を経て目標の達成に向かっていくと言われています。アメリカの心理学者タックマンが提唱した「タックマンモデル」は、チームの成長段階を示す代表的な理論です。

　本章では、このタックマンモデルをベースに、１年間の学級の成長段階をまとめました。（図１参照）

　菊池省三氏は、学級開きと同時に「成長曲線」を教え、子どもたちに１年間の成長の見通しを示しています。今回提案する「学級の成長４段階」は、曲線の動きは多少違うものの、関係性が豊かになり一人ひとりが力を発揮することで成長が加速していくことは、タックマンモデルと共通していると言えるでしょう。

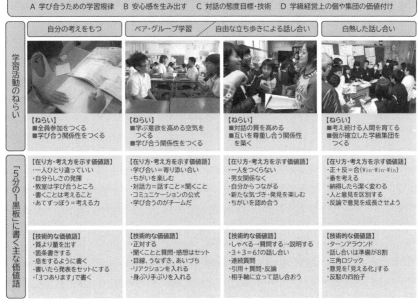

【価値語4つのカテゴリー】
A 学び合うための学習規律　B 安心感を生み出す　C 対話の態度目標・技術　D 学級経営上の個や集団の価値付け

学習活動のねらい	自分の考えをもつ	ペア・グループ学習	自由な立ち歩きによる話し合い	白熱した話し合い
「5分の1黒板」に書く主な価値語	【ねらい】 ■全員参加をつくる ■学び合う関係性をつくる	【ねらい】 ■学ぶ意欲を高める空気をつくる ■学び合う関係性をつくる	【ねらい】 ■対話の質を高める ■互いを尊重し合う関係性を築く	【ねらい】 ■考え続ける人間を育てる ■個が確立した学級集団をつくる
	【在り方・考え方を示す価値語】 ・一人ひとり違っていい ・自分らしさの発揮 ・教室は学び合うところ ・書くことは考えること ・あてずっぽう＝考える力	【在り方・考え方を示す価値語】 ・学び合い＝寄り添い合い ・ちがいを楽しむ ・対話力＝話すこと×聞くこと ・コミュニケーションの公式 ・学び合うのがチームだ	【在り方・考え方を示す価値語】 ・一人をつくらない ・男女関係なく ・自分からつながる ・新たな気づき・発見を楽しむ ・ちがいを認め合う	【在り方・考え方を示す価値語】 ・正＋反＝合(Win-Win-Win) ・番を考える ・納得したら潔く変わる ・人と意見を区別する ・反論で意見を成長させよう
	【技術的な価値語】 ・質より量を出す ・箇条書きする ・息をするように書く ・書いたら発表をセットにする ・「3つあります」で書く	【技術的な価値語】 ・正対する ・聞くことと質問・感想はセット ・目線、うなずき、あいづち ・リアクションを入れる ・身ぶり手ぶりを入れる	【技術的な価値語】 ・しゃべる→質問する→説明する ・3＋3＝6!の話し合い ・連続質問 ・引用・質問・反論 ・相手軸に立って話し合おう	【技術的な価値語】 ・ターンアラウンド ・話し合いは準備が8割 ・三角ロジック ・意見を「見える化」する ・反駁の四拍子

図2　白熱した対話・話し合いの授業をつくる「5分の1黒板」価値語表
▲上の図のA4サイズ版は、以下からダウンロードできます。https://bit.ly/3eknvR6
QRコードは、本著60ページにあります。

　学級づくりをする際には、形成期、混乱期、標準期、達成期の各成長段階に合わせて行っていくことがポイントになります。

　上の図2は、カテゴリー別に価値語をまとめたものです。まず、ここで述べたいことは、この表に書かれた「価値語4つのカテゴリー」や学習活動別に示した価値語は、学級の成長段階によって変化していくということです。つまり「5分の1黒板」の活用の仕方は、学級の成長とともに、少しずつかたちを変えていくということになります。

　以下では、各段階の学級づくりのポイントと「5分の1黒板」の活用について、詳しく説明していきます。

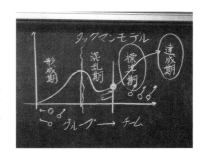

≫【形成期】安心感のある学級の土台をつくる段階

　形成期は、新学期の学級開きをしたと
きの本当に初期の段階です。教師も子ど
もたちも新しい学級への期待と不安が
入り混じった状態だと言えます。この段
階では、まだまだお互いが様子を見てい
る状態です。また、学級が始まって間も
ない時期は「誰かがやってくれる」と他
人任せになる傾向が強いようです。

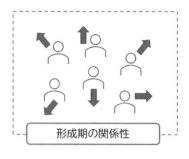

形成期の関係性

　そこで、まずは教師と子どもとの信頼関係をしっかりと築くことが大
切になります。信頼関係を築くことの基本は"ほめる"ことです。自分
のことをプラスに見てくれているという安心感が信頼関係を築いていき
ます。それと同時に、学び合うための基本的な学級のシステムやルール
を緩やかに構築していくことが大切です。その時には、ただほめるだけ
でなく「5分の1黒板」をセットにするとよいでしょう。音声は消えて
しまいますが、子どもたちのよさを価値語で書き残すことによって、よ
り効果を発揮します。

　例えば、『「友達と相談しましょう」と言うと、パッと体を向けて話し
合いを始めたでしょ。切り替えスピードが最高に速いよね』とほめなが
ら「5分の1黒板」に＜切り替えスピード＞と書くのです。

　形成期は、ほめるところであふれています。関係性がバラバラなこの
時期だからこそ、子どもたち一人ひとりのよさを取り上げ、学級全体に
広げることで安心感のある学級共通の土台をつくることができます。「5
分の1黒板」には、価値語4つのカテゴリーの【A 学び合うための学
習規律】や【B 安心感を生み出す】が書かれることが必然的に多くな
るでしょう。

　お互いに様子見をしているこの段階では、意図的に列指名や班指名を
活用して、一人ひとりに発言する機会をつくるようにするとよいでしょ
う。挙手指名では、積極的な数名の子に偏りが出てしまうからです。列

指名や班指名をする際は、一人ひとりの発言に意味付けや価値付けをしながら、学び合う関係性を築いていくことが大切です。

　例えば、列指名の時に、

『今4人の友達に発表してもらったんだけど、一人ひとり違った考えが出てきたね。一人ひとり感じ方や考え方が違って面白いよね。（笑いながら）みんな同じだったら、何だか怖いもんね。一人ひとりの感じ方や考え方に自分らしさがあふれていていいなと思いました。みんなで、それらを楽しめるような教室にしていきましょう』

　と意味付けや価値付けをするのです。「5分の1黒板」に**＜一人ひとり違っていい＞**や**＜自分らしさの発揮＞**といった価値語をセットにすると、さらに効果的です。

≫【混乱期】学級の中で試行錯誤する段階

　混乱期は、自分の考えをもって主張が出せるようになってきています。しかし、この段階は一人ひとりの主張や個性がぶつかり合っている状態です。また、周りの雰囲気にのまれ、なかなか発言できない子もいます。積極的な子の意見で決まっていく対立構造が生まれることがあります。

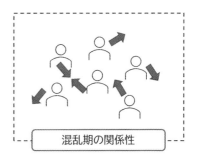

混乱期の関係性

　多くのチームは、この混乱期で長く停滞してしまうか、混乱期から形成期に逆戻りしてしまうことが多いと言われています。学級でも同じことが言えるのではないでしょうか。

　この混乱期を抜け出すポイントは、「自己主張における衝突が起きた際に、相手の意見を受容する」ということです（牧野、2021）。

　この時期の話し合いでは、自分の意見に固執してしまい、明らかに根拠が崩れているにも関わらず納得できないことや、ヒートアップして攻撃的になってしまうことがあります。それぞれの主張を尊重しながら聞

き合うことが大切になります。

　そこで、「5分の1黒板」を使って、対話・話し合いに臨む態度や、かみ合った議論ができるように促す価値語を示すとよいでしょう。「5分の1黒板」に書く価値語4つのカテゴリーの【C　対話の態度目標・技術】が書かれることが多くなります。

　対話・話し合いの態度面では、＜人と意見を区別する＞＜異論を認め合う＞といった価値語を書き、それぞれの意見を尊重し合いながら話し合うことを伝えるようにします。これらの価値語の意味や価値は、対話・話し合いの授業を通して実感していくものです。

　さらに、ただ意見をぶつけるだけの水掛け論にならないように、＜番を考えて話す＞＜引用＋質問（反論）＞といった価値語を示しながら、かみ合った話し合いを促していきます。その際、かみ合った話し合いを見える化するために、横書きの板書にすることもポイントです。

　これらの指導は、ディベート学習で行うことが有効です。かみ合った話し合いの基本形や話し合う時に大切なポイントを分かりやすく学ぶことができるからです。（詳しくは、『個の確立した集団を育てる　学級ディベート』（中村堂）や『1年間を見通した白熱する教室のつくり方』（中村堂）をお読みください）

　この時期の話し合いは、まだまだ不完全なものかもしれませんが、子どもたちが「話し合うことは楽しい」「考えの違う友達の意見を大切にすることが大切だ」と感じられることを大切にしましょう。

　このように、混乱期では「5分の1黒板」を活用しながら相手の意見を受容することができるようにしていくことが大切です。子どもたち同士の温かい関係性を築いていくことにもつながります。

≫【標準期】学級が1つにまとまっていく段階

「標準期は、混乱期を抜け出して、一
人ひとりの主張や個性を受け入れるこ
とができる状態になっています。チー
ムが同じ目標に向かって協力すること
ができるようになっています。この段
階になって初めて皆の個性が発揮され
て、チームとしての力が出せるのです」
(牧野、2015)。

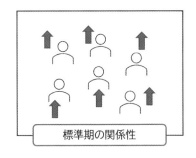

標準期の関係性

　真の主体的・対話的で深い学びが実現できるようになるのもこの段階
からだと考えます。標準期は、学びの規模を拡大していくことが大切で
す。その具体的な行為例としては、以下のようなものがあります。

　　○休み時間も話し合いの続きをしている子がいた時

　　○家庭学習で話し合いの準備をしている子がいた時

　　○潔く自分の立場を変えた子がいた時

　　○話し合いの中で自分の意見を出す「番」を考えて発言した時

　　○1対1で白熱した話し合いを楽しんでいる子がいた時

　　(『1年間を見通した白熱する教室のつくり方』(中村堂) 参照)

　このような具体的な行為を取り上げ「5分の1黒板」に価値語を書き
ながら、全体にその価値や意味を説明してほめるのです。また、＜意見
を見える化する＞＜メイン
とサブの話し合い＞といっ
た学び方をこちらから示す
こともあります。右の写真
のように、自分の考えをホ
ワイトボード等に「見える
化」することで、より白熱
したものになっていきま
す。

また、混乱期で書いたように人と意見を区別することや異論を認め合うことが定着しているため、全体の話し合いの中で個と個の激しい意見のぶつけ合いになることがあります。その時には＜メインとサブの話し合い＞という価値語を示しながら、全体の話し合いと小さなグループをつくって話し合ってもよいことを伝えます。「5分の1黒板」を活用してワンランク上の学び方を示すことで、子どもたちは写真のようなダイナミックな動きを見せるようになるのです。

　このような指導は、年間を通して行われるものですが、学びの規模が拡大して話し合う力が大きく加速するのは、学級の関係性がよくなってくるこの段階です。これまで全体の場ではなかなか発表できなかった子が発表したり、反論し合っても楽しそうな表情が見られたりするなどの成長を実感することができます。標準期は、一人ひとりが小さな成功体験を積み重ねることが大切です。子どもたちは、このような個や集団の変容を捉えることで、自信をもってさらなる成長を見せるようになります。

≫【達成期】一人ひとりが自立した行動をとることができる段階

　達成期は、学級が最も成熟した時期だと言えます。子どもたち一人ひとりが強い信頼関係で結ばれていて、全員がリーダーシップをとることができるようになります。学級全体が、自分たちで自分たちのことを決めたり変えたりする自治的な風土ができています。また、「私たちなら〜」「この学級のよいところは〜」と自分たちの学級に自信をもっている状態です。

『DVDで見る 菊池学級の成長の事実』（中村堂）の動画の中で、ある男の子が質問を受ける場面があります。その中で「○○くんの討論での役

割は何だと思いますか？」という質問
がありました。その質問に男の子は、
「僕は発表力がないけれど、アイデア
を出すことができるのが自分の強み
だ」と言っていました。そして、周り
の友達が自分の発表力を補ってくれて
いると話していました。このように、

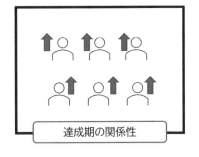

達成期の関係性

一人ひとりが自分らしさを発揮してチームの中での自分の役割を自覚し
ていることが分かります。また、学級への強い信頼から教室の温かな関
係性が感じられます。

　達成期は、白熱した話し合いが行われているのはもちろんですが、現
象の白熱だけではなく、内側の白熱が見られるようになっています。内
側の白熱とは、友達との白熱した対話・話し合いを通して、自分の中で
新たな気づきや発見を楽しむ状態になっているということです。まさに
「考え続ける人」そのものだと言えます。

　この時期には、おそらく「5分の1黒板」の活用の頻度は減っている
と思います。なぜかと言うと、これまで「5分の1黒板」で築き上げて
きたことが学級全体に浸透しており、全員参加が当たり前の状態になっ
ているからです。これまでは「5分の1黒板」を使って言語化していた
ことが学級の共通言語となり、教師の言葉かけによってその意味が理解
できる状態になっているのです。「5分の1黒板」に書かれる価値語が「言
語化から非言語化」している段階と言ってよいでしょう。もちろん、さ
らに成長の段階を高めるために価値語を示すことは大切です。
「達成期で大切なポイントは、自分たちの理想と共通目標をつくること
です」（牧野、2021年）。それは、自分たちの言葉で学級の約束事や目
標を決めていくということです。今、学級にとって何が必要かを自分た
ちで主体的に考え、実行に移していくことができるようにするのです。
きっと、これまで「5分の1黒板」に示し続けた価値語が、子どもたち
の目標をつくる指標として力を発揮することでしょう。

2 「5分の1黒板」に示す価値語4つのカテゴリー

【価値語4つのカテゴリー】
A 学び合うための学習規律　B 安心感を生み出す　C 対話の態度目標・技術　D 学級経営上の個や集団の価値付け

学習活動のねらい	自分の考えをもつ	ペア・グループ学習 / 自由な立ち歩きによる話し合い		白熱した話し合い
	【ねらい】 ■全員参加をつくる ■学び合う関係性をつくる	【ねらい】 ■学ぶ意欲を高める空気をつくる ■学び合う関係性をつくる	【ねらい】 ■対話の質を高める ■互いを尊重し合う関係性を築く	【ねらい】 ■考え続ける人間を育てる ■個が確立した学級集団をつくる
「5分の1黒板」に書く主な価値語	【在り方・考え方を示す価値語】 ・一人ひとり違っていい ・自分らしさの発揮 ・教室は学び合うところ ・書くことは考えること ・あてずっぽう＝考える力	【在り方・考え方を示す価値語】 ・学び合い＝寄り添い合い ・ちがいを楽しむ ・対話力＝話すこと×聞くこと ・コミュニケーションの公式 ・学び合うのがチームだ	【在り方・考え方を示す価値語】 ・一人をつくらない ・男女関係なく ・自分からつながる ・新たな気づき・発見を楽しむ ・ちがいを認め合う	【在り方・考え方を示す価値語】 ・正＋反＝合(Win-Win-Win) ・番を考える ・納得したら潔く変わる ・人と意見を区別する ・反論で意見を成長させよう
	【技術的な価値語】 ・質より量を出す ・箇条書きする ・息をするように書く ・書いたら発表をセットにする ・「3つあります」で書く	【技術的な価値語】 ・正対する ・聞くことと質問・感想はセット ・目線、うなずき、あいづち ・リアクションを入れる ・身ぶり手ぶりを入れる	【技術的な価値語】 ・しゃべる→質問する→説明する ・3＋3＝6？の話し合い ・連続質問 ・引用＋質問・反論 ・相手軸に立って話し合おう	【技術的な価値語】 ・ターンアラウンド ・話し合いは準備が8割 ・三角ロジック ・意見を「見える化」する ・反駁の四拍子

図2　白熱した対話・話し合いの授業をつくる「5分の1黒板」価値語表

　図2は、先ほどの「学級の成長4段階」でも示した「白熱した対話・話し合いの授業をつくる『5分の1黒板』価値語表」です。

　本著がめざす授業像の象徴である白熱した対話・話し合いの授業をつくる「5分の1黒板」の価値語について整理しました。

　上から、【①価値語4つのカテゴリー】【②対話・話し合いの授業をつくる学習活動のねらい】【③「5分の1黒板」に書く主な価値語】という3つで構成されています。③の内容は、第5章の実践記録や第7章の「5分の1黒板」価値語辞典を参考にしてください。

　ここでは、①と②ついて順に詳しく説明していきます。

>> 価値語4つのカテゴリーが白熱した対話・話し合いをつくりだす！

「5分の1黒板」に示す価値語
は、左ページの表の上に示し
た4つのカテゴリーに分類さ
れます。この4つは白熱した
対話・話し合いの授業をつくっ
ていく上で欠かせないものば
かりです。この4つが相乗効

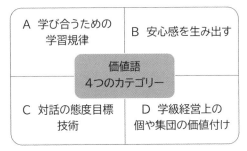

果をもたらすことで、白熱した対話・話し合いの授業へと近づいていきます。

　しかしながら、ここで確認しておきたいことは、この4つの分類は「5
分の1黒板」を使う時の状況や、教師のねらいによって変わるというこ
とです。つまり、この4つのカテゴリーは、明確な線引きをすることは
できないのです。その点を踏まえた上で、次からの4つのカテゴリーの
説明をお読みください。

>> 【A　学び合うための学習規律】

「5分の1黒板」がめざす授業は、子どもたち同士のダイナミックな学
び合いのある対話・話し合いの授業です。このような授業が成立するた
めには、学習規律の確立が欠かせません。秩序ある学習集団をつくって
いくことで、子どもたちは安心して話し合うことができます。

　第2章で述べたように「5分の1黒板」に書く価値語は、すべて子ど
もたち同士が「学び合う」「つながり合う」ために書きます。ですから、
<迫力姿勢><正対する><書いたら発表はセット>といった学習規律
的な価値語は、すべて"子どもたち同士が学び合うために書く"という
考え方のもとに提示します。その時に大切なのは、「5分の1黒板」に
示した学習規律的な価値語について、その意味や価値を伝えるというこ
とです。

　例えば、<正対する>という価値語を「5分の1黒板」に書いたあと、
『発表する友達の方にパッと体を向けましたね。話す人に体を向けるこ

とを正対すると言います。友達の考
えを大切にしよう、一緒に学び合お
うとする心が、聞き方からも伝わっ
てきますね』

　と、その行為に対して価値付けを
します。

　このように、子どもたちに授業中
の１つ１つの行為の意味を繰り返し
丁寧に伝えることで、少しずつ学級
全体に浸透し、学び合う土台が醸成
されていきます。

　ここで、もう１つ大切にしたいの
は、「５分の１黒板」に学習規律的な価値語を示しながら "**柔らかくて速
いカラダをつくる**" ということです。菊池省三氏は、白熱した話し合い
ができる教室にいる子どもたちのカラダは、「柔らかくて速い」と言いま
す。「５分の１黒板」を使って価値語を示し、スピード感のある活動を繰
り返すことで、柔らかくて速いカラダはつくられます。スピードを促す
価値語には、＜着手スピード＞＜切り替えスピード＞＜パッと反応す
る＞＜一人ですばやく全力で＞などがあります。

　菊池省三氏の飛込授業の動画を見ていると、よく「５分の１黒板」にス
ピードを促す価値語を書き、短時間の活動を小刻みに入れていきます。
『２秒間、ペアの友達と話し合いましょう』
『はい、やめ。切り替えスピードが速い！』

　といった具合に、テンポよく授業を進めていくのです。子どもたちの
表情が和らぎ、教室の空気感が変わっていくのが動画からも伝わってき
ます。テンポのよい授業は、子どもたちの集中も持続します。
「５分の１黒板」に学習規律的な価値語を示しながら、短時間でできる
楽しい活動をセットにして、子どもたちの「柔らかくて速いカラダ」を
つくっていきましょう。

》【B　安心感を生み出す】

　白熱した対話・話し合いが成立する学級は、子どもたちが安心して自分の考えを発言し、主体的で協働的な学びをすることができます。菊池学級の子どもたちは、一人ひとりの表情や身のこなしが柔軟かつしなやかで、温かくも凛とした空気感が

伝わってきます。「自分の考えは、きっと教室のみんなに受け止めてもらえる」「自分らしさを発揮してもいい」といった安心感から生み出されるものなのです。

　菊池学級をはじめとする白熱した対話・話し合いが成立する学級は、互いを尊重し合いながら意見を述べ合い、自分らしさを発揮することができる心理的安全性の高いチームだと言えます。

　このような**学級の安心感を生みだすには、望ましい考え方や行動が教室全体に広がっていくことが大切です**。その考え方や行動をプラスに変える起点となるのが、「5分の1黒板」なのです。

　例えば、ペアで話し合う時に『安心して話し合いましょう』と言っても、安心感を生み出すことができないのは明らかなことです。つまり、**「直接は変えられない心の中のことに執着するのではなく、一つ一つの具体的な行動の集積が大切なのです」**（石井、2020）。

　そこで「5分の1黒板」に＜パッと向き合う＞＜目線を合わせる＞＜うなずき＞＜リアクションする＞といった、具体的な行動を促す価値語を書き、行動をプラスに変えていくのです。行動がプラスになれば、教室の関係性がよくなり、空気感も変わっていきます。それらを子どもたちも感じているはずです。

　このように「5分の1黒板」を使って望ましい行動へのアプローチを繰り返すことで、教室に安心感を生み出すことができるのです。

≫【C　対話の態度目標・技術】

　対話・話し合いの授業では、子どもたちの活動が中心となります。そのため、子どもたちの対話・話し合いでの動きや態度、そして技術指導が必要になります。

　初期の段階は、対話・話し合いの基本形を教えることが大切です。そのため、「5分の1黒板」を活用しながら、どのように学ぶのかを教えるとよいでしょう。

　菊池省三氏は、対話・話し合いの三大態度目標は、＜①しゃべる②質問する③説明する＞だと言います。この態度目標を「5分の1黒板」に書き、活動の前や活動中に何度も立ち返りながら活動を繰り返します。「5分の1黒板」に書き残すことで、子どもたちは何度も価値語を確認しながら、話し合いの基本形を身につけることができます。

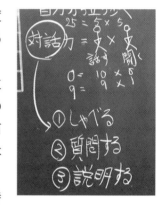

　話し合いの基本形を身につけながら、同時に＜連続質問＞や＜反駁(はんばく)の4拍子＞といった対話の質を上げる技術面の価値語を書くことも大切です。例えば、＜連続質問＞と書いた時には、『対話することは、お互いの意見を成長し合うためにするんだよね。だから、連続質問をして相手の考えを深く掘り下げていきましょう』

　と、その目的や価値をセットにして伝えるようにします。

　実践を通して実感しているのは、「5分の1黒板」を最も活用するのは対話・話し合いの授業だということです。45分の授業の中で様々な価値語を子どもたちに伝えます。それは、対話・話し合いには価値ある学びが多くあるからです。

　対話・話し合いの授業で「5分の1黒板」に示された価値語は、白熱した話し合いに向かっていく道しるべです。毎時間の蓄積が、ダイナミックな学びに向かっています。それらを丁寧に紡ぎながら段階的に話し合う力や関係性をよりよいものにしていくことが大切です。

≫【D　学級経営上の個や集団の価値付け】

　子どもたち一人ひとりを生かす学級づくりの基本は「ほめる」ことです。**子どもたちの具体的な行為を価値付けながらほめることで、学級全体によいことの本質が学級全体に広がっていきます。自信と安心の学級の土台をつくっていくのです。**まさに、積極的な生徒指導だと言えます。【D　学級経営上の個や集団の価値付け】は、個や集団のよさを「5分の1黒板」に書き残すということです。その効果は大きく2つあります。

　1つめは、個や集団のやる気を高めることです。「5分の1黒板」に具体的な行為と名前をセットで書かれることで、子どもたちの意欲や挑戦心を高めることができます。自信をもって行動できるようになるのです。

　2つめは、教室に温かい関係性をつくるということです。個や集団の価値付けを行うことで、子どもたちの友達や学級を見る目がプラスにはたらきます。そのことが、一人ひとりの違いを認め合う温かい関係性をつくることにつながっていくのです。

　それでは、自分の考えを発表する場面を例に説明しましょう。初めはノートに書いた文字を読んでいたAさんが、一瞬だけ目線を上げて発表しました。そこで、Aさんの発表のあとに次のように話しました。
『Aさんの発表のどこがよかったか分かりますか？発表の時に初めは目線がノートに向いていたんですよ。それが、一瞬だけど、前を向いて発表しました。読むから話すに変えたんです。みんなに自分の考えを聞いてもらおうとするAさんの気持ちが伝わってきました。素晴らしい発表だったのでここに書いておきますね』

　と、価値付けたあと、＜読むから話すAさん＞と書きました。

　このように、学級の実態に応じて個を取り上げるのです。

　同じように、学級全体のよいところを「5分の1黒板」に書き残すとよいでしょう。自分たちの学級をほめられることはうれしいことです。集団の高まりを実感することで、学級全体のモチベーションを高めることができます。そして、ここで取り上げた価値語は、次第に学級独自の文化として教室全体に広がっていきます。

3 白熱した対話・話し合いの授業の核となる4つの学習活動

【価値語4つのカテゴリー】
A 学び合うための学習規律　B 安心感を生み出す　C 対話の態度目標・技術　D 学級経営上の個や集団の価値付け

学習活動のねらい	自分の考えをもつ	ペア・グループ学習	自由な立ち歩きによる話し合い	白熱した話し合い
	【ねらい】 ■全員参加をつくる ■学び合う関係性をつくる	【ねらい】 ■学ぶ意欲を高める空気をつくる ■学び合う関係性をつくる	【ねらい】 ■対話の質を高める ■互いを尊重し合う関係性を築く	【ねらい】 ■考え続ける人間を育てる ■個が確立した学級集団をつくる
「5分の1黒板」に書く主な価値語	【在り方・考え方を示す価値語】 ・一人ひとり違っていい ・自分らしさの発揮 ・教室は学び合うところ ・書くことは考えること ・あてずっぽう=考える力	【在り方・考え方を示す価値語】 ・学び合い=寄り添い合い ・ちがいを楽しむ ・対話力=話すこと×聞くこと ・コミュニケーションの公式 ・学び合うのがチームだ	【在り方・考え方を示す価値語】 ・一人をつくらない ・男女関係なく ・自分からつながる ・新たな気づき・発見を楽しむ ・ちがいを認め合う	【在り方・考え方を示す価値語】 ・正+反=合(Win-Win) ・番を考える ・納得したら深く変わる ・人と意見を区別する ・反論で意見を成長させよう
	【技術的な価値語】 ・質より量を出す ・箇条書きする ・息をするように書く ・書いたら発表をセットにする ・「3つあります」で書く	【技術的な価値語】 ・正対する ・聞くことと質問・感想はセット ・目線、うなずき、あいづち ・リアクションを入れる ・身ぶり手ぶりを入れる	【技術的な価値語】 ・しゃべる→質問する→説明する ・3+3=6?の話し合い ・連続質問 ・引用・質問・反論 ・相手軸に立って話し合おう	【技術的な価値語】 ・ターンアラウンド ・話し合いは準備が8割 ・三角ロジック ・意見を「見える化」する ・反駁の四拍子

図2　白熱した対話・話し合いの授業をつくる「5分の1黒板」価値語表

　ここからは、図2「白熱した対話・話し合いの授業をつくる「5分の1黒板」価値語表」に示した4つの学習活動について紹介します。

　今回は、対話・話し合いの授業をつくる基本的な活動として、
【自分の考えをもつ】【ペア・グループ学習】【自由な立ち歩きによる話し合い】【白熱した話し合い】

　の4つを取り上げました。それぞれの学習活動でのねらいと「5分の1黒板」に書く主な価値語を挙げています。

　ここでは、それぞれの学習活動の主なねらいと、「5分の1黒板」の活用について詳しく説明していきます。

≫【自分の考えをもつ】

【自分の考えをもつ】ことは、話し合い活動を行う際のすべての土台となります。自分の考えをもつことの基本は「書くこと」です。書くことは、全員参加の話し合いを成立させるための大原則になります。

　発表や話し合いの前に考えを書く時は、①箇条書きで短く書く、②質よりも量を出すことの2つが大きなポイントです。

　箇条書きで短く書くのは、「長い文章で書かせると、その中にはいくつもの論点が入ってしまうので、あとの話し合いで発言しづらくなる」からです（菊池、2011）。そこで「5分の1黒板」には、＜一文一義で書く＞＜句点をすぐに打つ＞＜ズバリと書く＞といった価値語を示し、短い言葉で自分の考えを書くように促すとよいでしょう。

　箇条書きの際は、質よりも量を出すことも大切です。「よい考えを書かなくては」と考え過ぎて、手が止まってしまうことがあります。そこで、「5分の1黒板」に＜質より量＞と示しながら『いい意見を出すよりも、まずはたくさん意見を出しましょう』『3分間で5個以上書きましょう』と量に挑戦させるようにします。

　しかしながら、考えに行き詰まり時間内に自分の考えが書けない子もいます。その時は、教師のフォローが必要になります。

　例えば、箇条書きしている時にヒントをつぶやいたり、子どもが書いているものを全体に聞こえるように読んだりします。また、書いたあとに自由に立ち歩いて意見を共有する時間を取るのもいいでしょう。この時「5分の1黒板」に＜写し合う＝学び合う＞＜学び合うのが教室＞といった価値語を書きます。このようにして、安心して学び合う関係性を築きながら、全員が自分の考えをもてるようにすることが、その先の対話・話し合いによい影響を与えてくれます。

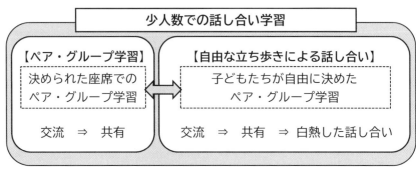

図3　少人数での話し合い学習について

【ペア・グループ学習】と【自由な立ち歩きによる話し合い】は、どちらも少人数の話し合いという点では共通するところがあります。そのため、図2でも両者に斜線を引いて表現しています。しかしながら、ここでは【ペア・グループ学習】を決められた座席でのペア・グループ学習、【自由な立ち歩きによる話し合い】を、子どもたちが自由に決めたペア・グループ学習と活動の自由度に差異をつけています。

　ここからは、それぞれの学習活動について詳しく説明していきます。

≫【ペア・グループ学習】

【ペア・グループ学習】で、重点を置くのは、「**人間関係をよくすること**」です。特に、人間関係の希薄な形成期では、**話し合う中身を重視するのではなく、人間関係づくりに重点を置きます**。話し合いの下地になる人間関係づくりができていなければ、なかなか話し合いの中身が深まっていかないからです。話し合う力は、このように対話・話し合いの経験を繰り返すことで少しずつ高まっていく力です。

　ペア学習の目的は、空気をつくることと対話の基本を学ぶことです。

　1つめの「空気をつくること」は対話・話し合いの大きなポイントを握っています。教室の空気感の良し悪しが、対話を活性化させるかどうかを左右することがあるからです。特に授業の導入部には、小刻みに短時間のペア対話を行ってアイスブレイクすることが大切です。

大木浩士氏は『博報堂流対話型授業』（東洋館出版、2020年）で、授業の中での具体的なアイスブレイクの１つに、「一人ひとりが声を出す（声を発して話をする準備状態に導く）」と述べています。互いに声を発することで、心も身体も

ほぐし、話しやすい空気をつくっていくのです。

　その際、教師から『「あんた、織田信長は好きか？」と聞いてごらん』といったユーモアを含んだ言葉を指定するのもいいでしょう。短時間でのペア対話を取り入れることで、教室の空気が少しずつ温まっていくことを実感できると思います。

　もう１つは「対話の基本を学ぶ」ということです。望ましい話し方や聞き方を学ぶ機会にします。初めと終わりに挨拶をすることや、パッと向かい合うこと、相手の目を見ながら聞く、話すなどがそうです。「5分の1黒板」には、＜口角を上げる＞＜パッと向かい合う＞＜正対する＞＜うなずく＞といった望ましい態度や動きを書くとよいでしょう。

　次に、グループ学習についてです。その目的について、菊池省三氏は、「グループで協力することのよさを体験します。協力するよさを体験した子どもたちは、話し合いにきちんと参加し、すすんで自分の考えを表現しようとします」と言います。

　そこで、特に形成期や混乱期では学習ゲームや数を競い合う活動を取り入れて、みんなで学び合うことのよさを楽しみながら体験できるようにするとよいでしょう。その際「5分の1黒板」には、＜質より量を出す＞と数をたくさん出すように促す価値語や、＜チームワーク＞＜「いいね」を合言葉に＞＜リアクションする＞といった協同的に学び合う時に大切にしたい価値語を示すことがポイントです。

≫【自由な立ち歩きによる話し合い】

【自由な立ち歩きによる話し合い】とは、言葉の通り教室の中を子どもたちが自由に立ち歩き、少人数で話し合う活動です。子どもたち主体の授業の象徴的な活動だと言えます。

この話し合いでのねらいは、**考え続ける楽しさや素晴らしさを実感させること**にあります。「友達の様々な考えに触れることにより、よりよいものを考え続ける力が育っていきます」(菊池、2015)。子どもたちは、新たな気づきや発見が生まれたり、自分の考えが覆されたりすることを通して、対話・話し合いの価値に気づくことができます。しかしながら、初期の段階ではうまくいかないことがたくさん出てきます。

　　○毎回仲のよい友達とだけ話し合う

　　○男子と女子に分かれてしまう

　　○話し合いに参加できずに、一人になっている

といった状況です。形成期や混乱期など関係性が十分に築かれていない時期には、こうしたマイナスの現象はどの教室でも起こって当たり前です。ここで大切なのは、マイナス面に目を向けるのではなくプラス面にアプローチすることです。

例えば、話し合いを行う前には、＜一人をつくらない＞＜男女関係なく話し合う＞といった価値語を「５分の１黒板」に書き、予めマイナスの行為が出ないようにします。その上で、活動中は子どもたちの望ましい姿を見つけて、なぜそれがよいのかを価値付けながらほめるようにします。そうすることで、対話の質が少しずつ高まっていきます。**この繰り返しによって、意見を出し合う"交流"から、内容の深まりを重視した"共有"に、さらには、"白熱した話し合い"へとレベルアップさせていくのです。**

新たな発見や、自分と他者の意見が違うことの面白さに気づいた子どもたちは、対話・話し合いの価値を体得し、考え続けることを楽しむようになります。そして、自由な立ち歩きによる話し合いでめざす、互いを尊重し合う関係性も、対話の質の向上とともにつくられていきます。

>> 【白熱した話し合い】

【白熱した話し合い】とは、学級の全員が白熱している話し合いのことを言います。白熱した話し合いが成立するためには、互いの主張を受け入れ合うことができる安心した学級の関係性と、これまでの対話的な学習活動で身  につけてきた対話の態度や技術が必要になります。ディベート学習や子ども熟議で培ってきた議論力や対話力を総動員した学びです。つまり、**白熱した話し合いは、その時点での学級の総合力が発揮される話し合いなのです。**

【学級の成長4段階】の標準期のところでも述べましたが、**白熱した話し合いを起こすためには、話し合いの基本形を経験させつつ、子どもたちの学びの規模を拡大させていくことがポイントになります。**そうすることによって、右上の写真のように、

　　○教師が子どもたちの視界から消える

　　○黒板を子どもたちに開放する

　　○自由に立ち歩いて友達と対話をさせる

　という状態をつくりだすことができます。その際は「5分の1黒板」では、白熱した話し合いに向かう具体的な行為を取り上げて、全体に価値付けながら説明をしていくことが大切になります。

　例えば、休み時間になっても話し合いの続きをしていた子がいたときには、次の授業の初めに**＜考えることはエンドレス＞**と書き、『さっきね、AさんとBさんが休み時間になっても話し合いの続きをしていたんですよ。新しい気づきや発見を求めて、考え続けているんだよね。考えることに終わりはないんだから、こうやって、休み時間にも延長戦ができるんだ。強い学び手になっていますよね』

　と、価値付けながらほめます。このような日々の蓄積によって、白熱した話し合いは進化を続けていくのです。

41ページの図２（Ａ４サイズ版）は、以下からダウンロードできます。
https://bit.ly/3eknvR6

「5分の1黒板」の価値語は
いつ、どのように書くのか

「５分の１黒板」の価値語は
いつ、どのように書くのか

菊池道場徳島支部　堀井　悠平

≫ 第４章のねらい

「５分の１黒板」を実践された方から、次のような質問をよくされます。

　○授業のどんな時に「５分の１黒板」を使っているのですか？

　○「５分の１黒板」を書くタイミングがよく分かりません

　○「５分の１黒板」に書いた価値語の意味や価値を効果的に伝えるに
　　はどうしたらよいのでしょうか？

　これらは「５分の１黒板」をいつ、どのように書いたらよいのかが分からないことが大きな原因になっていると考えます。このようなお悩みに答えるのが第４章です。ここからは「５分の１黒板」に、いつ、どのようにして価値語を書くのかについて、その目的と具体例を説明します。

　まず、いつ書くのかについてですが、その基本形は【事前】【事中】【事後】の大きく３つに分けられます。子どもたちの活動の前や途中、あとに「５分の１黒板」に価値語を書いて行動をプラスへと導いていきます。

　次に、どのように書くのかについてです。先ほど基本形について触れましたが、ただ価値語を書けばいいということではありません。やはり、効果的に子どもたちに「５分の１黒板」の価値語を伝えるには、教師のパフォーマンス術が大切になります。非言語を中心とした教師の身体スキルだけでなく、教師の細かな技術を知る必要があると考えます。

　そこで、以下では菊池先生の授業動画から子どもたちに効果的に伝わる教師のパフォーマンス術を紹介します。「５分の１黒板」だけではなく、普段の授業にも生かされる微細技術が詰まっています。

　それでは、まず「５分の１黒板」に、いつ書くのかについて、詳しく説明します。

1 「5分の1黒板」に、いつ価値語を書けばよいのだろうか？

≫【事前】に「5分の1黒板」を使う

【事前】は、活動する前に「5分の1黒板」
に価値語を書くという使い方です。活動
前に「5分の1黒板」を書くことには、
次のようなねらいがあります。

事前

・学びに向かう心構えをつくる

・学び合う空気をつくる

・望ましい動きや態度、行為を促す

この3つは、子どもたちに全員参加の学びを促すものです。

例えば、「5分の1黒板」に<切り替えスピード>と書きます。
『今から短い時間でペアの友達と相談してもらいます。その時に、これ
（<切り替えスピード>を指さしながら）を意識してくださいね。それ
では、隣の友達に「あんた分かるか？」と聞いてみましょう』

と言って、ペア学習を行います。

事前に<切り替えスピード>という価値語で望ましい行為を伝えてい
るため、子どもたちの動きにスピード感が出てきます。教師にとっては、
活動前に示した価値語が子どもたちを見るときの指標の1つになり、ほ
めるポイントが明確になります。

この時、遅い子を見つけるのではなく、切り替えスピードの速い子を
見てほめます。たとえ全員が遅かったとしても『切り替えスピードが速
い』と、初期にはプラスに取り上げていくとよいでしょう。

このように、事前に「5分の1黒板」を使ってテンポよく活動するこ
とで、学びに向かう教室の空気をつくることができます。そして、全員
が安心して学ぶことができるようになるのです。

講義型の一斉授業では、いすに座って聞くことがほとんどですが、対
話・話し合いの授業では、「立つ」「パッと向かい合う」「自由に立ち歩

いて対話する」といった、動きを伴った活動が必然的に増えます。このような活動では、「読めない」「書かない」「話し合わない」といった状態が見られます。そこで、**事前に「5分の1黒板」を使って、マイナスの状態が起こらないようにします。**

　例えば、自由な立ち歩きによる話し合いをするときには、「男女が分かれて話し合う」「一人になっている子がいる」といった状態が起こることがあります。

　そこで、「5分の1黒板」に＜一人を作らない＞と書きます。

『今から自由に立ち歩いて話し合うんだけど、一人を作らないよね？（笑顔で語りかける）きっと、みなさんは「一緒にやろう」とか言いながら話し合うのでしょう。楽しみです』

と、予め、マイナスの状態が起こらないようにします。そうすることによって、子どもたちが、安心して活動することにつながります。

　このように、「5分の1黒板」を事前に使うことは、**子どもたちの望ましい行為を促し、安心して学び合うことができるようにするためにとても効果的です。**

≫ 【事中】に「5分の1黒板」を使う

【事中】とは、活動の途中に「5分の1黒板」を使うことです。子どもたちの活動の様子を見て、「5分の1黒板」に価値語を書きます。

　活動の途中で「5分の1黒板」を使う主なねらいは、

　　・マイナスの状態をプラスにひっくり返す

　　・少し上の目標を示す

　の2つです。

　先ほど述べたように、対話・話し合いの授業では活動が多くなります。いくら【事前】に予防策を打ったとしてもマイナスの状態が出ることはあります。子どもたちの学びやすさを保障

するには、このような状態を放っておいてはいけません。

　菊池省三氏は、『「〜ない」の状態を見たときに「即対応」することが**重要です。「マイナスの状態」が教室にあったときこそが、「プラスの状態」に転換していく絶好のチャンスなのです**』と言います。

　プラスの状態に転換するために「5分の1黒板」は、有効な手立てとなります。

　例えば、グループ活動をしている時に、意見は言っているけれど目線が下がっているグループがあったとしましょう。空気が重く、声も元気がありません。そこで、次のように「5分の1黒板」を使います。
『ちょっとストップしてください。今ね、このグループがとても楽しそうに活動していたんですよ』

　と言い、「5分の1黒板」に＜笑顔＞＜リアクション＞と書きます。
『笑顔で友達の意見にうなずいたり、「お〜！」とか「いいね」とかリアクションしたりしながら続きをやりましょう！』

　マイナスの状態の班ではなく、プラスの班を見つけて全体にシェアするのです。「5分の1黒板」に価値語を書くことで、**望ましい行為が「視覚化」されて、子どもたちの次からの行為がプラスに変わっていきます。**

【事中】で「5分の1黒板」を活用するもう1つのねらいは、「少し上の目標を示す」ということです

　例えば、自由な立ち歩きによる話し合いをしている時のことです。これまでに何度も同じような活動をしているため、動きもスムーズで自分の考えをお互いに伝えることができていました。しかしながら、もう一段階高めるためには質問力を伸ばしたいと考えました。そこで、活動を一度止め、「5分の1黒板」に＜連続質問＞と書きました。
『連続質問ができるようになると、もっと相手の考えを深く知ることができますよね。相手の考えについて、一度で終わるのではなく連続で質問してさらに掘り下げましょう』

　このように、活動の途中に「5分の1黒板」を使うことで、子どもたちの状態をさらに上げていくことができます。今の状態にプラス1する

視点をもって、対話の質を高めていくことが大切です。

　以上の２つが、【事中】に「５分の１黒板」を使う主なねらいです。

≫【事後】に「５分の１黒板」を使う

　３つめの基本形は、【事後】に書くということです。活動のあとに「５分の１黒板」に価値語を書いて、全体にシェアします。活動中に見つけた行為を活動のあとに取り上げるということです。

　ここでの主なねらいは、次の２つです。

・個や集団の望ましい態度や行為を共有する
・「次」の活動の質を高める

　まずは、<u>個や集団の望ましい態度や行為を全体に共有する</u>ことについてです。活動中に「笑顔で対話を楽しんでいる」「うなずきながら聞き合っている」「全員が活動に参加している」といった望ましい態度や行為を観察します。「５分の１黒板」にメモしておいてもいいでしょう。

　活動が終わったあと、「５分の１黒板」を使って活動中に見られた望ましい態度や行為を価値付けてほめます。

　少人数の対話場面で、あるグループが笑顔で話し合っていたとしましょう。活動のあと「５分の１黒板」に＜笑顔の対話＞と書きます。『さっき、後ろのグループは笑顔で対話を楽しんでいました。笑顔で対話すると、安心して自分の考えを出し合うことができますね。新しい気づきや発見も生まれてくる対話になっていました』

　というように、事実に対して何がよいのか、意味付けや価値付けをしながらほめるのです。

　活動後「５分の１黒板」に価値語を書くことは、**望ましい態度や行為を「視覚化」して「共有」することができる**効果的な活用であると言えます。これによって少しずつ、学級全体に、望ましい態度や行為が広げていくのです。

　次に、２つめの**「次」の活動の質を高める**についてです。

　授業は、「読む」「書く」「話す」「聞く」「話し合う」といった活動の連続で成り立っています。45分の授業を１パックと考えると、授業は１日に５・６時間、年間で約200日行われます。したがって、それぞれの活動を長いスパンで連続的だと考えることもできます。つまり、日々の授業の中での活動の質を高めることが、子どもたちの学びの質を高めることにつながっているのです。

　活動のあとに「５分の１黒板」に書いた価値語は、活動の布石として次の活動の質を高めることもできます。

　先の例に挙げた、＜笑顔の対話＞で考えると、次の活動を行う際、事前にこの価値語を使って、

『今からもう一度ペアで話し合うんだけど、これ（＜笑顔の対話＞を指さす）がポイントだよね。きっと、さっきよりも笑顔があふれる対話になるでしょうね』

　と指示を出すのです。つまり、【事前】の活用になるのです。そう考えると、【事前】【事中】【事後】はサイクルになっているとも言えます。**このようなサイクルの中で、「次」の活動の質が高まり、それに伴って、子どもたちの学びの質が少しずつ高まっていきます。**

　以上、【事前】【事中】【事後】３つの活用を紹介しました。この３つに共通することは、

　　①プラスの状態に高める

　　②全員参加の学び合いを促している

　　③授業の中で個や集団を言葉で育てる

　ということです。第２章で説明した、授業の中で育てるということにつながっています。実態に合わせて効果的に活用していきましょう。

2 「5分の1黒板」に、どのように価値語を書けばよいのだろうか？

≫ 45分の中での「5分の1黒板」の活用

　以下は、菊池省三氏の"即興力"をテーマとした「お笑い！お絵かきバトル！！」の授業記録です。45分の授業の中で、どのように「5分の1黒板」を活用しているのかを「見える化」しました。「5分の1黒板」をキーステーションにして授業が展開されていることがよく分かります。

≫【お笑い！お絵かきバトル！！】授業記録

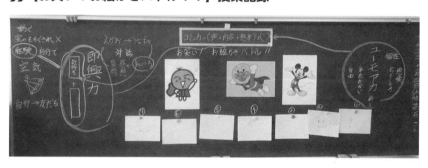

「5分の1黒板」	主な学習活動と「5分の1黒板」の活用
動く 宝のもちぐされ× 経験	※左の「5分の1黒板」の価値語は、前の授業の時に書き残されていたもの。
空気	1．即興力について考える。 ○＜空気＞と書き、教室の空気感をほめる。⊡ ○＜経験＞に○をつけながら、自分の経験を語ることと即興力を関連づけてほめる。⊡ 2．ユーモアの意味を漢字、平仮名交じりで書く。
自分→友だち	○＜自分→友だち＞と書き、友達と写し合えるのが教室のよさであることを伝える。

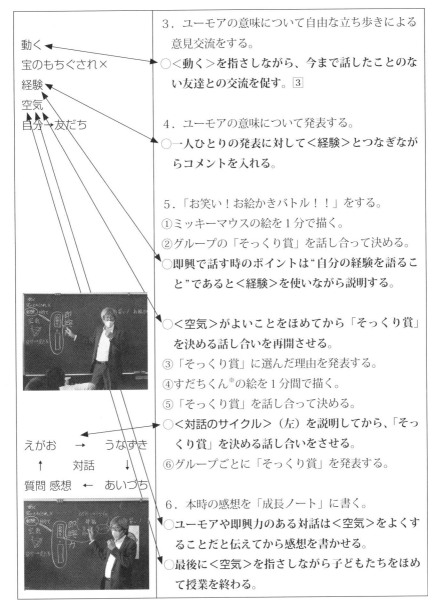

動く ←
宝のもちぐされ×
経験 ←
空気
自分→友だち

えがお　→　うなずき
　↑　　対話　　↓
質問 感想 ← あいづち

3．ユーモアの意味について自由な立ち歩きによる
　意見交流をする。
○＜動く＞を指さしながら、今まで話したことのな
　い友達との交流を促す。③

4．ユーモアの意味について発表する。
○一人ひとりの発表に対して＜経験＞とつなぎなが
　らコメントを入れる。

5．「お笑い！お絵かきバトル！！」をする。
①ミッキーマウスの絵を1分で描く。
②グループの「そっくり賞」を話し合って決める。
○即興で話す時のポイントは"自分の経験を語るこ
　と"であると＜経験＞を使いながら説明する。

○＜空気＞がよいことをほめてから「そっくり賞」
　を決める話し合いを再開させる。
③「そっくり賞」に選んだ理由を発表する。
④すだちくん※の絵を1分間で描く。
⑤「そっくり賞」を話し合って決める。
○＜対話のサイクル＞（左）を説明してから、「そっ
　くり賞」を決める話し合いをさせる。
⑥グループごとに「そっくり賞」を発表する。

6．本時の感想を「成長ノート」に書く。
○ユーモアや即興力のある対話は＜空気＞をよくす
　ることだと伝えてから感想を書かせる。
○最後に＜空気＞を指さしながら子どもたちをほめ
　て授業を終わる。

※「すだちくん」は徳島県のマスコット

≫「5分の1黒板」を効果的に活用するためのパフォーマンス術

　ここからは、「5分の1黒板」を効果的に活用するための教師のパフォーマンス術について解説していきます。以下に紹介するのは、前ページの授業記録から①・②・③の3つの場面を切り取ったものです。授業記録と写真や図を関連させながら、教師のパフォーマンス術をご覧ください。

① 【事前】授業の初めに子どもたちのよさをほめて、空気を温める

『さっきの社会科の時もそうだったんだけどね』
　と言いながら「5分の1黒板」に＜空気＞と書きました。（写真①）
「5分の1黒板」に書いた＜空気＞を指でコツコツと2回叩きながら〈A〉ゆっくりと全体を見渡し（写真②）
『空気感が抜群にいいですね‼ ビックリしました』
　と大きなジェスチャーを入れてほめました。（写真③）
『先生がおられるでしょ。（子どもたちの方に手を出しながら）そして、みなさんが、こういるでしょ？この空気っていうのはさ、この関係が（教師と子どもの関係）…（「5分の1黒板」の横の○をつなぎながら（写真④））この関係がよければ、人と人との関係が空気を決めるんですよ。〈B〉〈C〉パッと入ってきたら、めっちゃいい空気だと思いましたね。〈D〉（写真⑤）なかなかないですね』
　と言ったあと、一番前の女の子に話しかけました。〈E〉（写真⑥）
『ちょっといい？どうして、こんないい空気ができたか分かる？』
　両手をパタパタさせながらゆっくりと間をあけて〈F〉（写真⑦）、
『担任の先生のおかげですね』（写真⑧）
　と言うと、数名が元気よく「はい！」と答えました。
『そうですよね。…（間）はい、まだ指の骨は折れていないよね？はい、担任の先生に向かって…指の骨を折れ！』（写真⑨）
　と言い、力強いジェスチャーとともに拍手を促しました。〈G〉
　子どもたちは担任の先生に向かって、力強く拍手を送りました。
　菊池省三氏は、その様子を微笑みながら眺めていました。

① 「5分の1黒板」に＜空気＞と書く

② ＜空気＞を指でコツコツと叩いて注目を集める

③ 非言語をダイナミックに使ってほめる

④ 棒人間を書いて説明する

⑤ 『めっちゃいい空気だと思いましたね』とほめる

⑥ 前の子に突然話しかける

⑦ 手を上下にパタパタする

⑧ 担任先生に手を向ける

⑨ 『指の骨を折れ！』と力強いジェスチャーで促す

【この場面でのパフォーマンス術】

A．指でコツコツと叩いて注目を集める

「5分の1黒板」に書いた価値語に注目を集める微細技術です。『集中してこっちを見なさい』といった指示を出さなくても、黒板を叩く音と、何も言わない教師の間（ま）に、子どもたちの集中は自然と「5分の1黒板」の価値語に集まります。

B．「四分六の構え」でゆっくりと書く

　前ページの**写真**②や④のように、「5分の1黒板」に価値語を書く時に体を子どもたちの方に開いています。大西忠治氏は、これを「四分六の構え」と言います。体が子どもたちの方に開いているからこそ、子どもたちとの自然な会話体（子どもたちとの対話）で進む授業が展開できます。

C．棒人間を使って分かりやすく伝える

「5分の1黒板」には、価値語が書かれることが多いですが、**写真**④のように棒人間を書くと、分かりやすく伝わる場合もあります。今回は、子どもと子ども、教師と子どもの関係性のよさが空気感をつくっていることが図式化することによって、より分かりやすくなりました。

D．コミカルな動きを入れる

　写真③、⑤、⑨のように、菊池省三氏は、非言語をダイナミックに使っています。写真で見ると大袈裟に見えますが、実際は1秒もないほどの短い時間で体の動きを変化させています。コミカルな動きを取り入れることで、子どもたちは親近感を抱き、教室の空気は和らぎました。

E．一人の子に話しかけて全体に聞かせる

　「全体⇒個人⇒全体」と規模を変えながら話すことで、子どもたちは集中して聞くことができます。『ちょっといい？どうして、こんないい空気ができたか分かる？』と、会話体でのやりとりにも変化をつけています。このように、規模や話し言葉に変化をつけることで、子どもたちが主体的に聞こうとするようになるのです。

F．非言語だけで指示を伝える

　上のEのやりとりのあと、何も話さずに両手をパタパタとしてゆっく

り間をあけて（**写真⑦**）、担任先生の方に手を差し出しました。（**写真⑧**）この間、わずか3秒ほどですが、目と手の動きだけで子どもたちに伝えているのです。絶妙な"間"と"非言語"を最大限に活用しています。

G．「AさせたいならBと言え」の原則で指示を出す

　岩下修氏の「AさせたいならBと言え」という指示の原則を使って子どもたちを動かしている場面です。指の骨が折れるぐらい力強く拍手するように指示を出しています。これに**写真⑨**のような力強いジェスチャーで拍手を促すことによって、大きな拍手の音が響き渡りました。

② 【事後】前の授業で自分の経験を交えながら発表した女の子を取り上げる場面

『みなさんの代表で（代表でほめる）』
　と言いながら、教室後方の女の子に近づきました。〈H〉先ほどの授業で自分の経験を交えながら発表していた女の子です。そして、優しく語りかけました。
『香川県に親戚がいるんですか？』
「いえ、おじいちゃんです」
『おじいちゃんね？あの、香川県に行くときに、電気自動車だったら行けなくなるからって言って…』
　と全体に話しながら「5分の1黒板」の方に少しスピードを上げて歩いて行きました。〈H〉
　そして「5分の1黒板」に書かれていた＜経験＞という価値語をゆっくりと○で囲みました。〈I〉（**写真①**）
　しばらく、子どもたちを見渡してから、
『書いてないことでも、自分の経験の中から、経験からしゃべるんだよね』
　と胸に手を当てる動作をしながら話し、（**写真②**）再び黒板にふり返って文字を書き始めました。
　子どもたちは、何が書かれるのかその背中を凝視していました。

黒板に、即興力と書いたあと、その言葉を指さしながら
『みなさん、（即興力が）いいですね。〈J〉はい、この字、何と書
いているか読める人いますか？』
と尋ねました。子どもたちの手が勢いよく挙がりました。

【この場面でのパフォーマンス術】

H．大きく動いて子どもたちの集中と意識を集める

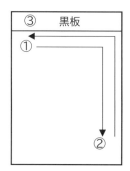

図　この場面の菊池
省三氏の動き

　左の図は、この場面での菊池省三氏の動きを表しています。①から、教室後方②の子どものところに行って会話をし、子どもたちの注目を集めながら③の「５分の１黒板」の位置まで移動しました。移動する時には、身ぶり手ぶりを入れて全体に話しかけながら、子どもたちの集中や意識を集めていました。子どもたちは自然と教師の動きを追いかけ、最後は「５分の１黒板」の位置に意識が集中しているのが分かりました。

I．価値語を〇で囲んで価値語を強調する

①＜経験＞を〇で囲んで
　強調する

②動作をつけながら話をす
　る

③『みなさんいいですね』
　とほめてから指示を出す

「５分の１黒板」に書き残されていた＜経験＞という価値語を〇で囲み

ました。この時、黙ってゆっくりと囲むことで、子どもたちの視線が「5分の1黒板」の価値語に集まります。さらに、○を書いてから子どもたちの方にふり返り、全体をじっくりと見渡してから話し始めました。この間は一言も話していませんが、言わずとも「5分の1黒板」の価値語を強調しているのです。

Ｊ．授業の鍵となる言葉とつなぐ（写真③）

本授業の鍵となる即興力という言葉と「5分の1黒板」に書いた＜経験＞という価値語をつなぎながら話をしました。まさに「5分の1黒板」をキーステーションにして、授業をより豊かなものにしていく例だと言えます。「5分の1黒板」と往還させながら質を高めているのです。

③【事中・事前】自由な立ち歩きによる話し合いを行う前に、安心して話し合いに参加できるようにする

> ユーモアの意味を漢字、平仮名交じりで子どもたちは書いていました。しかし、なかなか書けずに悩んでいる子が数名いるようでした。そこで、
> 『はい、じゃあ鉛筆を置きましょう』
> と声のボリュームを落としながら優しく声をかけました。
> 『ちょっといい？考えていたんだけど、先生いつも思うんだけどね』
> と言いながら「5分の1黒板」に＜自分＞と書きました。（写真①）
> 『今、先生が「ユーモアっていうのは、自分の言葉で言い表すと、どんな意味になりますか？」って聞いたんだよね。（写真②）自分の言葉で一生懸命考えるんだよね。でも、悩んで考えても、鉛筆が動かないときありますよね？その時に先生から「はい、書けた人？」とか「言える人？」って聞かれたら、もうそこで手が挙がらないよね。あ〜、ダメかとか思うのかな。でも、これだけ、31人もいるんだ。悩んで考えて分からなくても』
> と言いながら＜自分→友だち＞と書き加えました。（写真③）
> 『友達と教え合って、写し合えばいいんですよね。で、そのあとに「は

い、書けた人？」って聞かれたら安心して手が挙がるんですよね。それが教室っていうものですよね。〈K〉はい、じゃあ今から、自由に先ほど見せてもらったように、友達と教え合ったり写し合ったりしてほしいんだけど…』

　と言いながら、少し間を取ってから前列の女の子の前にしゃがみ込み（写真④）、小さな声で語りかけました。〈L〉子どもたちの視線がぐっと集まりました。

『さっき、ディベートしてたでしょ？お互いに反論し合って、最終的に新しい意見を出すんだよね。勝ち負けだけを決めるんじゃないよね。ということは、今の話し合いも、ただ写し合うだけじゃなくて、話し合っている、写し合っている時に「あっ、ひらめいた！」って新しいのが出てきたらいいよね。ディベートの話し合いも全部一緒だ。新しい意見を出すためにも、話し合うんだね。（ゆっくりと立ち上がりながら（写真⑤））なるほど〜、楽しみですね。〈M〉はい、じゃあ、ノートと鉛筆を持って、いろんな友達と、新しい考えを生み出しましょう！どうぞ』

　子どもたちたちはサッと立ち上がり、友達との交流を始めました。

【この場面でのパフォーマンス術】

① 「5分の1黒板」に＜自分＞と書く

②身ぶり手ぶりを入れながら優しく語りかける

③「5分の1黒板」に＜自分→友だち＞と書き加える

K．書けていない子へのフォロー

　なかなか書けずにいる子がいたときのフォローに「5分の1黒板」を活用しています。ピンチのように思える場面ですが、友達と写し合えばいいという考え方を子どもたちに伝えるチャンスなのです。「5分の1黒板」を使いながら、教室の温かい関係性を築いている場面だと言えます。

L．1対1の会話を全体に聞かせる

　写真④のようにしゃがみ込み、次に行う活動でのポイントをその子との会話の中で伝えました。大切なことは、大きな声で伝えるよりも、1対1の小声でのやりとりを聞かせる方が、効果が大きいことがあります。「5分の1黒板」の＜自分→友だち＞を生かすパフォーマンス術です。

M．Iメッセージを伝え、望ましい行動を促す

　写真④のあと、ゆっくりと立ち上がりながら『なるほど〜、楽しみですね』と微笑みながら教師の期待を子どもたちに伝えました。（写真⑤）「①望ましい行為をたっぷり前フリ→②Iメッセージで教師の期待を伝える→③指示を出す」のセットにより、子どもたちは望ましい行動をイメージしながら活動に参加することができました。

④前列の女の子の前にしゃがみ込み、
1対1の会話を全体に聞かせる

⑤『なるほど〜、楽しみですね』
と言いながら立ち上がる

　以上、3つの場面を切り取って「5分の1黒板」を効果的に活用するためのパフォーマンス術を紹介しました。子どもたちとのやりとりや、教師の非言語コミュニケーションによって、「5分の1黒板」の効果は高まっていきます。ぜひ、実践の際に意識して使ってみてください。

「5分の1黒板」を
活用した実践記録

「5分の1黒板」を活用した実践記録

菊池道場徳島支部　堀井　悠平

≫ 第5章のねらい

図1　白熱した対話・話し合いの授業をつくる「5分の1黒板」価値語表

　本章では「5分の1黒板」を活用した実践記録を9本載せています。上の図1に示した4つの学習活動別に2本ずつの実践と特別支援学級での実践が1本です。実践に出てくる価値語はこの表と対応しています。

　また、実践記録は学級の成長段階とも関連しており、それぞれどの段階での実践なのかを明記しています。各段階に見られる学級の課題を「5分の1黒板」を活用しながら、どのように克服していくのか、教室のリ

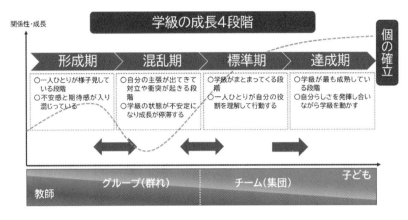

図２　学級の成長４段階

アルな姿を描いています。授業を取り上げることで、より具体的に「５分の１黒板」の活用イメージを広げることが大きなねらいです。

≫≫「５分の１黒板」を活用した授業実践の構成と読み方

　実践記録は、【①「５分の１黒板」のねらい ②実践記録 ③「５分の１黒板」の広がり】の３つで構成されています。

　①では、学級の実態について図２「学級の成長４段階」に合わせて書いています。各段階での課題を踏まえて、どのように授業を位置づけているのか、その授業の中で「５分の１黒板」をどのように活用するのか、そのねらいについてまとめています。

　②では、授業の中で「５分の１黒板」を活用した場面を切り取り、教師と子どもとの具体的なやりとりを書いています。「５分の１黒板」を活用することで、教室の中の関係性が変化する様子が分かると思います。第４章を参考にしながらお読みください。

　③では、実践後の広がりについて書いています。「５分の１黒板」を活用することで、個や集団にどのような変容があったのかを書いています。これらは全て、関係性の豊かな白熱する教室をめざすポイントとなり、次の段階に進むための手がかりになるのではないでしょうか。

自分の考えをもつ【形成期】

1 一人ひとり違っていい　安心感のある教室

菊池道場徳島支部　原内　さやか

ここで示す価値語

一人ひとりちがって
いい

自分らしさのはっき

1 「5分の1黒板」のねらい

　学級の成長4段階の形成期における「自分の考えをもつ」での実践記録です。

　2年生の国語科「雨のうた」（光村図書）で、詩の響きを楽しんだ授業です。雨のイメージをふくらませ、詩に出てきた言葉を大切にしながら、音読の仕方を工夫することをねらいとしました。

　新学期の子どもたちは、新しい友達、先生、学級に期待し、胸をふくらませていました。その一方で、昨年までの人間関係、新しい先生との関係性、学級の雰囲気に対して不安感や緊張感をもっているようでした。

　4月の「自己紹介」では、「5分の1黒板」に**＜一人ひとりちがっていい＞**と書き、

『9人は一人ひとり違っていますよね。だから、好きなものだって違っているよね。どんなものを言ってもいいよね』

　と言葉かけをしました。好きなものを自己開示できるような空気づくりしていきました。しかし、それだけでは、なかなか浸透しません。日々の授業の中で繰り返し**＜一人ひとりちがっていい＞**ことを示し、価値付けていくことで、子どもたちは価値語の意味を体験しながら、**＜一人ひとりちがっていい＞**ことを感じとっていきました。最初は、様子見をして硬かったクラスが徐々に打ち解け、学び合う空気が出来てきました。

　そこで、全員参加をつくることと学び合う関係性をつくることを目標

　として「5分の1黒板」に、【在り方・考え方を示す価値語】を書きました。（41ページ図2参照）

　自分の意見をもつ場面では、「5分の1黒板」に＜一人ひとりちがっていい＞と書き、自分の意見を安心してもつための雰囲気づくりをしました。そうすることで、「どんな音でも書いていいんだ」という安心感が生まれ、子どもたちが勢いよく書きはじめました。そして、様々な雨の音を引き出すことができました。

　全体で意見を共有する場面でも、「5分の1黒板」に立ち返り、改めて＜一人ひとりちがっていい＞ことを確認しました。子どもたちが発表した意見を受け止めたり、フォローしたりしながら自分らしさを引き出していきます。自分の言葉で考えを書いたり、発表したりすることが＜自分らしさのはっき＞であることを価値付けていきました。そうすることで、さらに安心して発表することができました。

　立場を決めて理由を発表する場面でも＜一人ひとりちがっていい＞ことを確認しました。「理由」には、一人ひとりの自分らしさが出やすいからです。違いがあるからこそ、学びが広がり、深まることの楽しさを体験し、学びに対する意欲をより高めていきました。

　このように、形成期では、何度も繰り返して＜一人ひとりちがっていい＞ことを示し、確認していくことが大切です。そうすることで、一人ひとりが安心して自分の意見や考えを書いたり、発表したりできるようになっていきます。

2 実践記録

（1）安心感をもたせるための＜一人ひとりちがっていい＞

　授業の初めは、どんな子どもでも答えられることを問います。それは、誰がどんなことを答えても、先生やクラスの友達は認めてくれるという安心感を得られるようにするためです。また、全員参加を促すためでもあります。

　題名の「雨のうた」と書き、

『雨の音ってどんな音？』

　と子どもたちに尋ねました。すると、ぱっと表情が明るくなり、今すぐにでも言いたいとうずうずしていたり、なんて言おうかと少し悩んだりしている子どもの姿が見られました。すぐに答えられる自信満々の子どももいますが、中には、みんなにどんな反応をされるか不安に思う子どももいます。そこで、全ての子どもたちが、どんな音を答えてもいいという安心感を得られるようにするために、「５分の１黒板」に＜一人ひとりちがっていい＞と書きました。そして、

『このクラスはいろいろな人がいますよね。９人みんな違うんだよね。だから、どんな音があってもいいよね』

　と子どもたちに言いました。すると、子どもたちは

「うん。いい」

　と言いながら笑顔でうなずいていました。

　教師が「５分の１黒板」に＜一人ひとりちがっていい＞と示すことで、子どもたちは、自分の思ったことを素直に書いていいことを知ります。＜一人ひとりちがっていい＞と示したあとに、

『ノートに箇条書きで書いてごらん』

　と言うと、子どもたちは、安心して雨の音をたくさん書くことができました。

（2）＜一人ひとりちがっていい＞が自分らしさを引き出す

　子どもたちがノートに書いている間、様子を見ながら、

『書くと発表はセットだよね』

　とつぶやき、発表することを意識させます。そして、

『この列の人、立ちましょう』

　と、挙手指名による発表ではなく、あえて列指名をします。それは、教師が何でも受け止めるといった姿勢を示すためです。トップバッターの子どもは

「これでいいのかな」

　と少し緊張した面持ちでした。同時に、周りの子どもたちも、第一声に注目しているようでした。

　そこで、先ほど書いた**＜一人ひとりちがっていい＞**を指さしながら、

『一人ひとり違っていいよね。だから、「同じです」「一緒です」はないと思います。同じことを書いていても言い方が違うかもしれないね』

　と、もう一度**＜一人ひとりちがっていい＞**ことを確認しました。すると、子どもたちは、少しほっとしたような表情を見せました。

　Aさんは、発表はするけれど、自信がなさそうにしている子です。Bさんは、発表をあまりしたことがないので、声が小さく、まわりをキョロキョロと見回していて、緊張した面持ちで少し不安そうにしています。そんな2人が、

「ポツポツです」

「ポツンポツンです」

　と自分の意見を発表しました。

　発表をする場面では、一人ひとりの発言をしっかりと受け止める教師の姿勢が重要です。

『似ているけど、使っている言葉が少し違うよね。まさに…』

と言いながら「5分の1黒板」に＜自分らしさのはっき＞と書きます。そして、書いたこと（下の写真）を指さしながら、

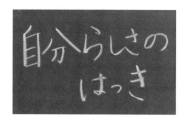

『…ですよね。自分らしさを発揮したAさんやBさんに拍手！！』

と価値付け、全員で拍手を送りました。AさんやBさんは少し照れていましたが、誇らしげな表情もしていたように思います。その時、子どもから

「いいね」

と声が上がり、教室に温かい空気が生まれました。それを見た、次に控えていたCさんや周りの子どもたちも安心した表情を浮かべ、自分の意見に自信をもって発表することができました。

このように、価値語の意味や価値を体験させながら温かい空気をつくっていきます。

（3）＜一人ひとりちがっていい＞から高まり合う

第一連を音読したあと、詩のイメージをより具体化するために、

『実はこの詩には続きがあってね…』

と子どもたちに言い、第二連の途中までを書きました。

『やねで　○○○○　やねのうた。○○○○には4文字の雨の音が入ります。どんな音だと思う？』

と子どもたちに問いました。すると、「うーん…」と悩み始めました。

『あてずっぽうでいいから言ってごらん』

と言うと、

「ジャバジャバ」

「パラパラ」

などと子どもたちが答えました。

子どもたちが答えた雨のイメージを整理すると、○A「激しい」と○B「やさしい」の2つのイメージに分かれていました。

　そこで、Ⓐか Ⓑかどちらがイメージに近いのかを選びました。自分の立場をはっきりとさせるために、自画像画（菊池省三、菊池道場、『コミュニケーション力あふれる「菊池学級」のつくり方』、2014年、中村堂、190〜193ページ参照）を黒板に貼りました。その後、理由を書く前に「5分の1黒板」に立ち返り、

『一人ひとり違っていいんだよね。理由も一人ひとり違っていて、似ていても、言い方は違うかもしれないよね』

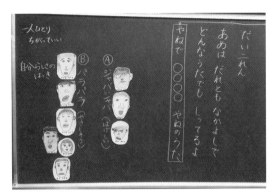

　と確認をしました。すると、子どもたちは、
「うん。みんな違う」
　と言いながら、思い思いの考えを書きはじめました。そして、発表する時には、
「ぼくはⒷだと思います。どうしてかと言うと、ひとりじゃうたえないって、詩の中に書いてあるからです」
「わたしもⒷだと思います。ひとりじゃうたえないから、だれかといっしょにいると優しくしていると思うからです」
「わたしはⒶだと思います。どうしてかと言うと、屋根は硬いから強く当たらないと音がしないと思うからです」
「ぼくは、Ⓐだと思います。屋根に当たったら、大きな音がすると思うからです」
　と、選んだ理由を自信をもって発表することができました。
『選んだ立場は同じでも、理由は違っていたよね。理由にも、自分らしさが表れていますよね。一人ひとり違うからこそ、いろいろな考えが出て、みんなでいっしょに成長していけるんですよね』
　と、教室全体へ、一人ひとり違うことのよさを広げていきます。

3 「5分の1黒板」の広がり

≫ <一人ひとりちがっていい>から<自分らしさのはっきへ>

「雨のうた」を学習して、子どもたちは、安心して学び合うことの楽しさを感じることができました。その後も、繰り返し様々な授業場面で**<一人ひとりちがっていい>**ことを提示することで、お互いの意見の違いを認め合う空気ができてきました。「ことばあそびをしよう」(光村図書)では、言葉を楽しみながら、あいうえお作文を考えていきました。

「ありゃありゃ　かれたよ花が　さいていたのに　たおれてる　なんでだろう」

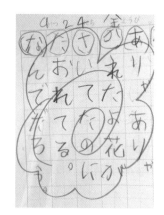

『この「ありゃありゃ」という部分はDさんの優しい人柄がよく出ていますね』

「あさはやく　がっこうにいって　さあはしろう　たのしくて　なんメートルでもはしっちゃお」

『「ちゃお」という語尾には、Eさんらしくやる気満々な気持ちと走ることを楽しもうとする気持ちが表れていますね』

「あなごがつれて　いいじんせいだ　うれしい　えがおで　おいしくたべたよ」

『釣りが大好きで、休日はよく釣りに出かけているもんね。特に、「いいじんせいだ」のところが、Fさんらしいね』

と価値付けをしながら、子どもたちが考えたあいうえお作文を一緒に楽しみました。

このように、＜一人ひとり違っていい＞がクラスに浸透することで、子どもたちは、自分らしさを発揮しようとします。また、自分らしさが発揮されることで、クラス全体が安心感のある雰囲気に包まれ、子どもたちの活気があふれてきます。そして、自分の意見をもつことを楽しんだり、自信をもって発表したりする姿が見えるようになります。何度も繰り返し確認することで、一人ひとりが安心して、自分の意見を書いたり、発表したりできるようになっていきます。

さらに、自分の意見をしっかりともてるようになることで、自分の意見を相手に伝えることや、意見を交換することへの意欲へとつながっていきます。

≫ ＜一人ひとりちがっていい＞から見えた子どもの成長

これまでの学習を通してのふり返りを国語のノートに書きました。すると、AさんやBさんは次のように書いていました。

「わたしは、いつもは、じしんをもってはっぴょうできないけど、きょうは、がんばってはっぴょうができました。すこし、みんなの前で言うのが楽しくなってきました」

「ぼくは、文を考えるのが楽しかったです。みんながやさしく聞いてくれたのがうれしかったです。つぎもはっぴょうをがんばりたいです」

このように、AさんもBさんも安心感があることで、自分らしさを発揮し、学習できるようになってきました。

自分らしさを発揮できるようになると、教室に活気があふれ、子どもたちに勢いが増します。すると、自ら学ぼうとする意欲も高まりました。

自分の考えをもつ【形成期】

② 学習規律をつくることで、全員参加をめざす

菊池道場徳島支部　森下　竜太

ここで示す価値語

質より量

書くと発表はセット

1 「5分の1黒板」のねらい

　学級の成長4段階の形成期における「自分の考えをもつ」での実践記録です。

　3年生としての生活が始まった新学期。クラス替えがあり、初めてクラスが一緒になるという子どももいます。新しい学級への期待と不安の入り混じった中で、一生懸命掃除をしている子から「○○さんが掃除をしていません」と指摘がありました。そこで、学級活動の時間に「掃除の時間について考えて、よりよい学校生活にしていこう」という議題で話し合った授業実践です。

　私の学級では、一心不乱に掃除をする子が多くいました。その一方で、昼休みが終わり教室に帰ってきてからも友達と話をし掃除に取りかかるのに時間のかかる子や、友達と話をしていて掃除をしていない子の姿もありました。

　本実践では、子どもから出た「掃除をしていない」という意見から、話し合いをしました。標準期以降の白熱する教室に向けて、まずは子どもたちの生活の身近な課題に結びつけることで、一人ひとりが問題を自分事として考え、積極的に参加できるクラスをつくり上げられるのではないかと考えました。学級のシステムやルールを形成するこの時期には、【技術的な価値語】（41ページ図2参照）を用い、教師主導で学習の基盤をつくっていくことが望まれます。その中で、子どもたち全員が話し

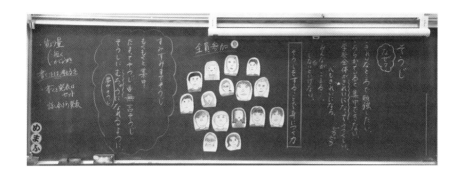

合いに参加したと体感できる授業になるように心がけました。

　導入で「5分の1黒板」に＜質より量＞と書きます。＜質より量＞と書くと、子どもたちは自分の思ったことや考えたことをノートに書き出します。これまでも授業で＜質より量＞を示し、『短く端的に』『ズバリ一言で』『思ったことを1分で3個以上書こう』などの言葉を加えて伝えてきたからです。「5分の1黒板」に書き、同時にこれらの言葉かけを繰り返すことで、子どもは書く習慣を身につけます。書くことが苦手な子もとりあえず書いてみようという意識をもつことができます。

　＜質より量＞で意見をもったあとに、発表します。発表前に「5分の1黒板」に＜書くと発表はセット＞と書きます。書いて発表することを学級の学習におけるルールとします。「5分の1黒板」に繰り返し書いていくことで、子どもからも「書いたら発表しよう」「みんなの発表が聞きたいな」と自然と声が出てきます。このようなルールを定着させることで、書く量も増えます。＜質より量＞＜書くと発表はセット＞は、【技術的な価値語】の中でも【学びに向かうための学習規律】（41ページ図2参照）を促す価値語です。さらに、子どもたちの自由発表に向かうために形成期では、教師による指名方法も大事になります。教師の指名による発表から、話し合いにおける規律を確立させていきます。

　上記に挙げた2つの価値語を中心に「5分の1黒板」を活用しながら、白熱する教室の土台として自分の意見をもって発言する全員参加型の授業をめざしていきたいと考えました。

2 実践記録

（1）＜質より量＞を意識 「書くことは考えること」

　黒板に「そうじ」と書いたあと、次のように問いました。

『みんなは、なぜ掃除をするのですか？』

「きれいなところで勉強したいからです」

「物が散らかっていると、勉強に集中できないからです」

　と返答がありました。子どもたちとのやりとりを一通り終えたあとに、

『掃除をすることで身につく力って何だろう？』

　と問いかけ、「5分の1黒板」に＜質より量＞と書きます。

『自分の考える○○力をノートに書きましょう。箇条書きでもかまいません』

　その言葉で、子どもたちは鉛筆を走らせます。

「掃除に集中したら、集中力がつきますよね？」

『そうだね。掃除をするだけで集中力がつくのですね。いい考えをしているね。掃除をするだけで成長できる○○力が身につくのって素敵だよね。もっともっと考えてみよう』

『もう3つも書いたのですね。早いですね。しっかり向き合っていて素晴らしいですね』

「先生、私のワークシートを見てください」

『「しずかにだまってできる力」「そろえる力」ですか。しっかり考えていますね。書くことが考えることに繋がっていますね』

　これまでに学級で伝えていた＜書くことは考えること＞も「5分の1黒板」に書きました。書くことへの価値付けもしました。

　教師との会話を聞いている周りの子どもたちは、書くスピードも速くなり、「たくさん意見を出すぞ」という意識になっています。「ほかには何があるのだろう？」とより深く考えることができている子もいました。

（2）＜書くと発表はセット＞を意識し、自分の考えを発表する

　「たくさん書くことができた」「早く言いたい」と意欲的な発言や、書くことに満足して笑顔を見せている子がいました。そこで、私は「5分の1黒板」に＜書くと発表はセット＞と書きました。書いたら必ず発表するという学習のルールです。

『みんなに発表する前に、隣の人と「僕・私は、掃除をすることでこんな力が身につくと思うよ」って、周りの人に聞かれないように教え合ってみよう』

　と小さな声で言いました。子どもたちは隣の席の友達と小さな声でささやくように話をします。これは、自分の意見を伝える練習の場であり、教え合うことによってノートに書けていない子をなくすためのものでもあります。書いて教え合うことにより、自分の考えをもっていなかった子も自分の考えもつことができます。この流れは、ほかの教科の授業でも行っているので、子どもたちは自然と動くことができました。

『友達の意見で「自分もそう思う」というものがあれば、自分のものとしていいですよ。いいと思ったものはノートに書き足しましょう』

「よっしゃー」「やったー」と反応する子どももいました。ノートに「掃除をする力」とだけ書いていた子も、友達の話を聞いて「集中力」「がんばる力」と書き足していました。「5分の1黒板」には＜話し合ったら発表＞も付け加えます。最初は、自分の考えをもっていなかった子も、友達の話から、自分の考えを見出すことができています。

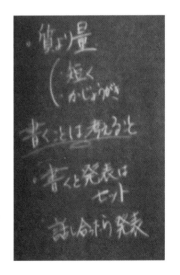

『せっかく書いたのだから、みんなの前で発表したいですよね。きっとみんな発表するのだろうな』

　とつぶやきます。

（3）学習規律の確立から全員発表へ

『では、聞きます。掃除をすることで身につく力って何でしょう？』

　子どもたちは発表したいという気持ちから、目が輝いていました。

『Aさんの目が輝いています。いいですね。やる気が伝わってきますね。よし、Aさんの列、立ちましょう』

　教師による列指名です。目の輝きを認めた子はもちろん、その子の後ろに座っていた子どもたちも発表するようにします。急に指名されることで、教室に緊張感も生まれます。子どもによっては「無茶ぶり」と感じる子もいるかもしれません。しかし、形成期には教師主導でどんどん意見を出させることが大事です。それは、手立てを加えながら、子どもたちのコミュニケーション量を増やすことで、話したり、温かく聞いたりする力を伸ばすことができるからです。

『Aさんは掃除をすることでどんな力が身につくと思いますか』

「私は、掃除をすることで、頑張ろうとする力がつくと思います」

『どうして？』

「なぜなら、みんながしないような所まで頑張れる人は、何事にも頑張れると思ったからです」

『なるほど。やはり意見と理由はセットなのですよね』

「うんうん」とうなずく子がいました。

『Bさんの反応は、素晴らしいな。ありがとう。うなずくや「いいね」や「なるほど」といった言葉や表情があったら、発表している人は言いやすいですよね』

「行動力です。みんながしないような所まで掃除ができたら、どんなときでもいろんなことが自分からできるようになると思ったからです」

『なるほど。勉強になりますね』

「身の回りをきれいにする力です。掃除で隅々までできると、ふだんから、きれいにできると思うからです」

　このように、教師とのやりとりを元に話し合いにおける学習規律を明確にしていきます。意見を聞き出している中で、こんな意見が出ました。

「頭の回転が早くなる力です」

『頭の回転か～。どうしてそう思ったのですか』

「なんとなく」

『そうか。でもそのなんとなくという感覚も大事だよね』

　私がそう伝えると、

「考えて掃除をするから、頭の回転も早くなる」

　とほかの子が言葉を付け加えました。教室には「なるほどな～」と納得する声が上がりました。

　話し合いにおけるルールを確立していくことで、子どもたち一人ひとりが何でも言える教室をつくることができつつあると言えます。また、子どもたちの発言をみんなで認めていく中で、子どもの発表に対する苦手意識が薄れ、発表が当たり前になる学級になっていくと考えます。今回の教師による意図的指名では、最終的にクラスの全員が発表することができました。学習の終わりには、

『全員が考えた。意見を出し合った。話し合うことができました』

　と称賛し、黒板の真ん中に【全員参加◎】と価値付けました。学習のふり返りには、「楽しい」と書いた子がいました。全員参加が、子どもの学びやすさにつながっています。

　全員参加により、一人ひとりの学びの場としての確立がなされ、発表にもよい影響が見えてきました。もちろん1回きりの「5分の1黒板」の活用ではなく、継続していくことが大事です。継続し、価値語がめざす姿を子どもたちが明確に理解することで、全員参加ができると確信します。標準期以降は、たくさんある自分の意見から話し合いの核心に迫る意見を見出せるように進化させていきます。そのためにも「質より量」で圧倒的な言葉の量を出させて「書くと発表はセット」で全員参加ができる取り組みを続けていきたいです。

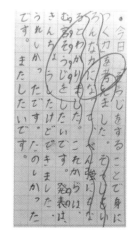

3 「5分の1黒板」の広がり

　9月中旬のことです。私の勤務する小学校では、新型コロナウイルス感染症予防の観点から、リモートによる朝会や集会活動、録画による動画視聴を行っていました。校長先生からの話での出来事です。

「校長先生が見つけた素晴らしい掃除をしている子の様子を見てほしいなと思います。それは、3年2組のCさんです。Cさんが下駄箱の掃除をしているところを15分間全部録画しました。その掃除の様子を見てください」

　その言葉のあとに、Cさんが掃除をしている動画が早送りで全部流れました。動画を見終わったあと、クラスの中から「夢中掃除や！」という声が聞こえ、自然と拍手が起こりました。
『すごいですよね。全校生徒の中で、このクラスの掃除が動画に取り上げられるなんて。これも日頃からCさんが夢中掃除をしていたからなのですよね』
　と伝えると、「うんうん」とうなずく友達や掃除の仕方に感動し、涙を流す子がいました。その後の学級活動の時間で再度、掃除について話し合いました。
『Cさんの何がすごいでしょうか？見つけた分だけ自分のホワイトボードに書きましょう。大事なのは質より？』
「量です！」
　教師が、「短く端的に」「箇条書きで」と言わなくても、子どもたちは、＜質より量＞を分かってすらすら書いています。
『書いたら発表です。まず、自由に話し合ってみましょう』
　子どもたちは自由に席を立ち、話し合い

ました。子ども同士の会話からは、

「黙々としているのがすごいよね。無言掃除だよね」

「細かいところまで丁寧に掃除をしているよね」

「静かに丁寧に夢中掃除をしているね」

「時間を忘れるくらい集中しているのがすごい」

「掃除の時間までに準備をして、テキパキ取りかかれている」

「学校にいる280人のお手本になっている」

「さすが3の2！と言われるお手本だね」

　との声が聞こえてきました。

　意見を出し合ったあとの話し合いでは、「掃除でもみんなを笑顔にすることができるから、これからも頑張りたい」「Cさんの行動のように、私たちも小学校のお手本になりたい」とまとめることができました。

　授業終わりには、学級の掲示係が価値語モデルを作りました。（右の写真は、Cさんが掃除をしている動画をカメラで撮ったものです）

　形成期に学級の全員が自分の考えをもち、話し合ったことが生きてきたのだと実感しました。自分の考えをもって全員が発表することで、自分事として考え、行動に移すことができたのです。話し合いから時間が経ってからも、校長先生に称賛されたのはそのためだと感じます。

ペア・グループ学習【形成期】
③ 温かく聞き合う教室の「空気」をつくる

菊池道場徳島支部　佐藤　みなみ

ここで示す価値語

えがお

目線
うなずき
あいづち
みぶり手ぶり

1 「5分の1黒板」のねらい

　学級の成長4段階の形成期における「ペア・グループ学習」での実践記録です。

　2年生の国語科『スイミー』（光村図書）という物語文で、扉の挿絵から「スイミーはどんな物語か」を想像し、自由に話し合いました。

　4月から子どもたちと、授業に参加する姿勢をつくり、ペア学習を通して話し合う経験を重ねてきました。しかし、話し合いをする時に、緊張感のある空気や重たい空気になることがありました。また、話し合いを始めても、書いていることを読むだけで終わってしまう姿も見られました。

　自分の言葉で考えを伝えることが苦手なAさんは、「ノートには書けているけど、うまく話せないからあまり言いたくない」と言っていました。子どもたちは考えはもっていますが、話し方が分からず困っている子や、友達に自分の考えを伝えることのよさを実感していない子がいるように感じました。『話し合いをしましょう』と言うだけでは、子どもたちの話し合いに向かう気持ちは生まれないということを実感しました。

　そこで、本実践では、「5分の1黒板」を活用して、＜目線＞＜うなずき＞＜あいづち＞＜みぶり手ぶり＞といった身体的表現を意識した言葉かけをすることで、子どもたちが自分らしく話しやすい温かな空気をつくりたいと考えました。

　温かな空気をつくるためには、子どもたち全員が話しやすい話題を設定し、短時間でのペア学習を繰り返し行うことが効果的です。互いに声を発しながら心と体をほぐしていくことで、子ども同士の関係性も築かれ、教室が安心できる場所に近づいていきます。

　話し合いの際には身体的表現を意識させ、子どもたちの「柔らかくて速いカラダ」づくりをめざします。「柔らかくて速いカラダ」とは、話し合う時にパッと向き合って話し合ったり、うなずきながら聞いたりするなど、学び合う時に必要な気持ちとカラダのことです。このようなカラダをつくり、テンポよく授業を進めることで、子どもたちの表情も自然と和らぎ、教室の空気感も変わっていきます。

　教室の温かな空気や関係性がなければ、「白熱した話し合い」を実現することはできません。「5分の1黒板」を活用して、子どもたちの「柔らかくて速いカラダ」をつくり、望ましい話し方や聞き方を指導することで、話し合いが活発になることが期待できます。

　まず、ペア学習の前に＜えがお＞と書き、自然と話しやすい空気をつくります。相手にどんな表情で話したり、聞いたりしてほしいかを考え、みんなが笑顔で話し合える学級にしていきたいという教師の思いを伝えます。また、教師と子ども、子ども同士の楽しいやりとりを通して、話すことが苦手な子でも参加しやすくすることが大切です。

　次に、話し合いをしている中で、＜目線＞＜うなずき＞＜あいづち＞＜みぶり手ぶり＞をしている子のよさを取り上げ、価値を広げていきます。子どもたちの中には、話し合いの時に、「正しいことを言わないといけない」と思っている子も多いと思います。しかし、まずは内容よりも、上の価値語のような非言語コミュニケーションにアプローチすることが大切です。そうすることで、うまく話せなかったり、答えが間違っていたりしても、「自分の考えや思いを聞いてくれる」という安心感が生まれ、子どもたちの話し合いが活発になっていきます。このような指導を繰り返し行うことで、互いの意見を受け入れ、積極的に聞き合う受容的な態度を学級の風土にしていきます。

2 実践記録

（1）＜えがお＞を引き出し、話しやすい空気をつくる

　話し合いを始める前に、うまく話ができるか不安そうな表情を浮かべている子がいました。話をすることが苦手なＡさんも表情が硬く、心配そうです。

　そこで、自然な笑顔を引き出し、緊張をほぐすことで、ペアの友達と関わりやすい空気づくりを意識しました。空気を温めるのに最も効果的なのは＜えがお＞です。

『話し合いが盛り上がるポイントがあるんだけど、知ってる？』

　と子どもたちに尋ねました。

「なんだろう？」

「声の大きさかな？」

「拍手すること？」

　と、子どもたちが考え始めた時に、静かに、黒板に笑顔の絵を描きました。

「あっ！笑顔だ〜」

「にこにこの顔!!」

　と子どもたちは嬉しそうな顔でそれぞれに反応しました。

『口角を上げて笑顔で話すと、いいらしいよ』

　と、口角と書きながら言いました。

『（「５分の１黒板」を指さして）隣の人は、笑顔になってる？』

　教師が微笑みながら言うと、少し照れながら、ペアの友達の方を向き、笑い合う姿が見られました。いつもは話すことが苦手な子も、楽しそうな表情を浮かべています。Ａさんもペアの友達と目を合わせて、にこにこしていました。

『それでは、口角を上げて、笑顔で話し合いましょう』

　と話し合いを促すと、全員が笑顔で話し合いを始めることができました。子どもたちの話し合いを見守りながら、

『いい笑顔!!口角が上がっているね!!』

　と、＜えがお＞の子を見つけてほめていきます。すると、子どもたちはより笑顔を意識するようになっていきました。

（2）子どもたちの非言語コミュニケーションを取り上げ、広げていく

＜えがお＞で話している子だけでなく、相手に体を向けて話をしている子も見つけておきます。話し合いを一度止めて、

『みんな笑顔で話し合えていましたね。すてきです。それだけじゃなくて、話をしている人に体を向けている人もいたよ。ペアで話し合うときは、お互いにパッと向き合えるといいですね』

　と言って、「5分の1黒板」に＜パッとむき合う＞と書くことで、その価値を広げていきます。

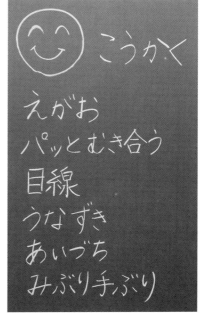

　さらに、話し方や聞き方を見ながら、「相手の目を見て聞いている子」「うなずきながら聞いている子」「あいづちを入れながら聞いている子」を取り上げます。子どもたちが話し合いを再開し、少し経ったころ、

『ストップ!!』

　と一度止めます。

『Bさんの聞き方が素晴らしかったんだけど、どこがよかったと思う？』

　と子どもたちに尋ねました。すると、Bさんのペアの子が

「うなずきながら聞いてくれた」

　と嬉しそうに言いました。

『そうだよね。うなずきながら聞いてくれたら、話しやすいよね。ほかにも、相手の目を見て、「お〜！」や「うんうん」といった、あいづちがあればもっと友達のよさを引き出せるかもしれないね』

と言いながら、「5分の1黒板」に、＜目線＞＜うなずき＞＜あいづち＞と書きました。その際、個別に取り上げた子について、価値語の横に「○○さん」と名前を書いてもいいでしょう。

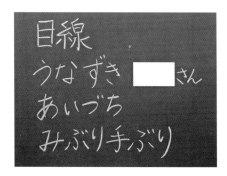

『それでは、目線、うなずき、あいづちを意識して、話し合いを続けましょう』

と、話し合いを再開させました。すると、目線を合わせて、うなずきやあいづちを入れながら、一生懸命に友達の話を聞く子が増えました。話している子たちも、友達が自分の話を真剣に聞いてくれたという実感が得られたことで、いつもより満足そうな表情をしていました。

話し合いが終わったあと、＜みぶり手ぶり＞をつけて話している子を取り上げました。

『Cさんが、話すときに身ぶり手ぶりをつけていて、とてもよかったです。話す人は、固まった姿勢で話すよりも、身ぶり手ぶりをつけて話したら、自然と笑顔が出るし、相手が聞きたくなるような話し方に近づけるよ。みんなもやってみよう！』

話し手と聞き手の両方が身体的表現を意識的にできるようになると、話し合いは、より活発になりました。

また、教室は一人ひとりが話しやすい温かな空気になっていたため、その後の全体の話し合いでも、多様な意見が活発に出てきました。初めは表情が硬かったAさんも、楽しく話し合いができたことに達成感を感じ、自信が出てきたように見えました。

コミュニケーションには様々な方法があります。多様な非言語コミュニケーションを価値付けることで、一人ひとりのその子らしさが出やすくなります。対話の中で、非言語コミュニケーションが増えていくと、心も体もほぐれ、話し合いが活性化するようになっていきます。

（3）対話の量・経験を増やし、学級の風土をつくる

　ペア学習は、温かな空気と関係性をつくるための活動であることを述べてきました。しかし、これは一度の授業で定着するものではありません。話し合いをする上で大切なことを繰り返し確認しながら、ペア学習の経験を重ねることで、学級全体の風土となっていきます。

　そこで、「5分の1黒板」で一度示した価値語を活用します。活動の前には、「5分の1黒板」の価値語を指さしながら、

『話し合いでは、こんなことが大切だったよね』

　と全体で確認すると、子どもたちは見通しをもって、活動に参加することができます。

　また、活動後には、「5分の1黒板」を活用して、

『Dさんは、身ぶり手ぶりを意識して話せていましたね。Dさんらしくて、とってもよかったよ。友達に伝えたいという気持ちが伝わってきましたよ』

　と、身ぶり手ぶりを使って話していた子をほめました。このように、様々な場面におけるペア学習で、「5分の1黒板」の価値語を活用することで、再び全体に価値が広がっていきます。

　さらに、教師が言葉で直接伝えていなくても、「5分の1黒板」で示した価値語が、白熱した話し合いに向かうための姿勢を「見える化」してくれます。この「5分の1黒板」があることで、子どもたちは安心して話し合いができるのです。

　このように、教室の中に温かな空気がつくられると、関わりの少なかった子ども同士の話し合いも自然とスムーズになってきました。教室の空気感は、新しい関係性を築くきっかけにもなり、学び合うための土台となるものだと再確認しました。

3 「5分の1黒板」の広がり

≫「対話が楽しい」が第一歩

　授業のふり返りでは、これまでの話し合いとの違いを子どもたちが実感しているようでした。話すことが苦手だと感じていた子も、楽しく対話できたことが自信につながった様子が見られました。

　これは、自分から話し合いに参加したり、友達に話しかけたりすることに苦手意識をもっていたＡさんのふり返りです。４月は、話をする時も声が小さく、自信のなさが見られました。

　わたしは、いつも話をすることがあまりとくいではないけど、今日は楽しかったです。ペアのＢさんもえがおでうなずきながら聞いてくれたので、いつもより話しやすかったです。Ｃさんは、みぶり手ぶりもつけて上手に話していたのがすごいです。わたしも、もっと友達が話を聞きやすく、話しやすいように今日のことをつづけていきたいです。

　この授業のあとから、少しずつですが、自分からパッと向き合い笑顔で話をするＡさんの姿が見られるようになってきました。ペアの友達に対しても、初めは緊張が見られましたが、ペア学習を繰り返し行っていくことで、自然と打ち解け、授業以外でも関わりが増えています。

　ペア学習を通して、教室の温かな空気をつくることで、白熱した話し合いの土台となる安心感のある関係性を築いていくことができます。

≫「価値語モデル」の活用で個から全体へ

　普段から子どもたちのよい姿を写真に撮っています。子どもたちの望ましい行為の写真を画用紙に貼り、価値語とともに掲示し、可視化させているものを「価値語モデル」といいます。

この授業をした翌日、「価値語モデル」を教室に掲示しました。
「あ！昨日のＤさんの話し方がお手本になっているよ」
「次は、もっとＥさんのような聞き方で頑張るぞ！」
と、子どもたちが楽しそうに話していました。

登校したときや休み時間に、子どもたちは掲示をよく見ています。写真と価値語をセットにすることで、低学年でも望ましい行為のイメージをもち、行動に移しやすくなります。自分が写っている写真が「価値語モデル」になることで、子どもたちの自信につながっているようです。

また、別の授業でペア学習をする前に、黒板に「価値語モデル」を貼りました。
『この写真のＤさんとＥさんのように、笑顔の話し合いができるといいですね。ペアの話し合いで大切なこと、覚えているかな？』
「パッと向き合います」
「目線、うなずき、あいづち、みぶり手ぶりです」

と、短時間でふり返り、「価値語モデル」の写真のイメージをもって、話し合いをすることができました。何度も繰り返していくうちに、どの場面でも、自然と笑顔があふれる話し方・聞き方ができるようになります。

さらに、教室にいつでも見られるように掲示をすることで、授業だけではなく日々の意識づけになります。次第に、子どもたちの言葉から価値語が出てきたり、学級オリジナルの価値語も生まれてきたりします。

このように、「5分の1黒板」で価値付けた子どもの姿を「価値語モデル」にすることで、より全体へ広げていくことができます。

ペア・グループ学習【形成期】
4 チームで学び合うことのよさを楽しみながら体験する

菊池道場徳島支部　林　大葵

菊池道場徳島支部　林　大葵

ここで示す価値語

チーム力

腰を上げる

質問は楽しいものだ

1 「5分の1黒板」のねらい

　学級の成長4段階の形成期における「ペア・グループ学習」での実践記録です。6年生で行った「友達紹介質問ゲーム」の記録です。質問の数を競い合い、友達と学び合うことのよさを楽しみながら体験できるようにしました。

　1学期の前半は、話し合い活動で仲のよい友達とだけ話したり、友達の前で発言できなかったりという姿がよく見られました。原因は、子ども同士の温かく学び合う関係性ができていないことにありました。

　そこで、形成期ではコミュニケーションゲームを多く取り入れます。コミュニケーションゲームでは3つの要素を学ぶことができます。

・温かく学び合う関係性を築くための基本　<拍手><チーム力>など
・コミュニケーションの価値　　　　　　　<質問は楽しいものだ>など
・基本的なコミュニケーション力　　　　　<質問力><即興力>など

　ゲームを通して、ペアやグループ、教室全体で楽しみながら関係性を築いていくことができます。これは、お互いのことをよく知らず、関係性の薄い形成期において重要です。さらに、ゲームは「楽しそう－楽しい－楽しかった」という体験をしやすいです。その楽しみの中で子どもたちは関係性と同時に、コミュニケーションの価値や質問力、即興力、

傾聴力などの基本的な力を身につけていきます。

　コミュニケーションゲームをレクリエーションとしてだけでなく、明確なねらいをもつことで、効果を得ることができます。

「友達紹介質問ゲーム」では以下のようなことをねらいとしています。

・拍手や笑顔などを大切にして、学び合う集団としての一体感を楽しむ（温かく学び合う関係性を築くための基本）
・質問は相手のことを知ることができ、楽しいものだと感じられる（コミュニケーションの価値）
・質問の内容や出し方について興味をもち、活用することができる（基本的なコミュニケーション力）

「5分の1黒板」を活用することにより、子どもたちが学び合いの中で自然にこれらのねらいを達成していくことにつながります。

　ここでの「5分の1黒板」活用のねらいは2つあります。

　1つめは、学び合う関係性を築こうとする気持ちを引き出すことです。新学期から大切にしてきた＜拍手＞や＜正対＞をペアやグループで意識していくことを＜チーム力＞の高さと価値付け、繰り返し授業の中で確認します。さらに、＜チーム力＞を高める言動を子どもの姿から取り上げ、増やしていきます。例えば、ゲームの中で競争心が高まり、思わずいすから腰を上げ必死に協力しようとする姿が出てきます。そこで、＜腰を上げる＞と黒板に書き、＜チーム力＞を高める行動と示します。このようにして、前向きに学び合おうとする気持ちを全体に広げます。

　2つめは、質問することに対する興味・関心を取り上げ、子どもたちで質問力を高めていくことができるように導くことです。「質問は楽しいものだ」と感じた子どもたちは自分たちで質問について考えを深めようとします。特に、作戦タイムでは質問の内容や出し方について考えている姿が見え始めます。そのような姿を取り上げ、質問の内容に深まりが出ていることを伝えます。さらに、質問の内容や出し方にも様々な工

夫があることを取り上げます。このようにして、友達との学び合いを楽しみながら、質問力を高めていく姿を広げていきます。

　このように空気づくりを大切にすることで、学び合いの中で自然に「質問は楽しいものだ」と感じ、質問に対する考えを深めることで、チームで学び合うことのよさを楽しみながら体験できるようにします。

2　実践記録

友達紹介質問ゲーム

【目的】
1　「質問は恥ずかしい」という意識をなくさせ、質問力を鍛えることで対話力を伸ばす。
2　友達の知らなかったところをたくさん引き出し、より仲の良い友達関係を築こうとする気持ちをもたせる。
【やり方】
①3～4人グループになります。　②じゃんけんで一人質問に答える人を決めます。
③2分間で残りの人が質問します。　④グループ対抗でその数を競います。
⑤質問に答える人を交代しながら①～④を繰り返します。
【ルール】
①同じ人の連続質問は2回まで。他の人が質問すればまた質問できる。
②人が傷つくような質問や下品な質問はしない。
③1回めが終わるたびに「作戦タイム」を設定すると面白い。

　　　「一人も見捨てない！菊池学級12カ月の言葉かけ」菊池省三著　　参考

（1）これまで大切にしてきた姿と＜チーム力＞を関連づける

「友達紹介○○ゲーム」と黒板に書きました。ゲームということもあり、子どもたちは嬉しそうにしています。

『○○の中には何が入るでしょう』

　数人の子どもが手を挙げたので、Aくんを指名しました。

　すると、Bさんが笑顔で話し手を見つめていました。

『ちょっと待って』

　すかさず、Bさんに近づきました。子どもたちが注目します。

『見て、すごくないですか。今まで、大切にしてきた正対と笑顔が自然にできてるよね』

　黒板の方に戻り、＜正対＋笑顔＋＞と書きました。

『多分、もう一つ大切にしているものは、Aくんが発表し終わったあと、自然に出ると思います！』と笑顔で言いました。

　新年度当初から伝えてきたので子どもたちは何を書くのか予想できています。Aくんの発表のあと、大きな拍手が教室に響くと同時に＜拍手＞と黒板に静かに書き加えました。

『実は、このゲームではこれが大事なんです』

　と言い＜正対＋笑顔＋拍手＞の上に黄色で＜チーム力＞と書きました。

『チーム力が高いところは、この3つのことを大切するんですよね。温かい空気感をつくると安心できる。安心できるとたくさん質問を出せるから、このゲームめちゃくちゃ強いんでしょうね。』

　と笑顔で言いました。

　子どもたちは、「頑張ろうね」と声をかけ合っていました。

（2）＜腰を上げる＞で学び合う空気感をつくる

　簡単なルール説明のあと、グループで「よろしくね」とあいさつを交わしました。

『では、1回めを始めたいと思います』

　その時、昨年度まで友達とのトラブルが多く、悩んでいたCさんが飛び上がるようにいすから腰を上げ、前のめりになりました。Cさんに静かに近づきました。Cさんは少しこわばった顔をしました。教室の雰囲気も少しピリッとしました。もしかすると、このように前のめりになっていることを姿勢が悪いと注意されたことがあったのかもしれません。

子どもたちの視線が集まります。

『見て、Ｃさんはいすから腰を上げて前のめりになっていますよ』

　子どもたちは驚いたような顔をしています。

『ただ、ゲームをするだけではなくて、本気で友達のことを知ろうとする気持ちが出てるんでしょうね。すごいなあ！！』

　教室に笑顔があふれました。静かに拍手をしている子どももいます。

　黒板に戻り、＜腰を上げる＞と書きました。

『腰を上げて、みんなで頭の距離を近くして、学び合っていくグループもチーム力が高いと言えますよね』

　と言うと、子どもたちは笑顔でうなずいていました。

　ゲームが始まると、腰を上げて、頭の距離を近くしているグループに『チーム力が高い！！』と声かけをしていきました。すると、どのグループでも＜腰を上げる＞姿が見られました。

　子どもたちは、しっかりといすに腰をかけて、前を向いていることだけが学びに向かうよい姿勢だと考えていることが少なくありません。もちろん、それを＜迫力姿勢＞という価値語で価値付けることもあります。しかし、友達との学び合いの中では、それだけにとらわれず、前向きに取り組もうとしている気持ちを価値付けることが多くあります。今回の、

＜腰を上げる＞もその一つです。さらに、その姿を＜チーム力＞を高める行動と関連づけて伝えることでさらに子どもたちの中で学びの姿勢についての考えが広がっていきます。

（３）＜質問は楽しいものだ＞を自然に引き出す

　１回めの終わりの合図と同時に歓声が上がり、教室全体が明るい雰囲気になっています。

『どうだった？』と聞くと

「意外に難しい」「思ったよりたくさん出ない」などと楽しそうに答えま

した。その中で、

「楽しい！」

　という声が多く聞こえてきました。

　そこで、子どもたちに共感しながら言いました。

『もちろん、ゲームが楽しいということもあるだろうけど、質問するって楽しいでしょ？』

「楽しい！！」

『もしかしたら、今までは、質問は分からない人がするものだから恥ずかしいなんていうイメージがあった人もいるかもしれないですね』

　うなずいている子どもが数人見えます。

『でも、今みんなは友達の知らなかったところを知って、楽しいと思っていますよね。質問というのは本来、楽しいものなんですよね』

　笑顔で聞いている子ども、真剣に聞いている子ども、ノートにメモしている子どもなど、様々な姿が見えます。

　そう言いながら、黒板に＜質問は楽しいものだ＞と書きました。

『さあ、ここからたくさん質問して、もっと友達のことについて知っていきましょう！では、2回めに移りましょう！』

　歓声が上がり、「始め」の合図とともに教室に質問があふれました。

　このように、そもそも質問は相手のことを理解していく楽しいものだというコミュニケーションの価値を伝えます。そのようなポジティブな考えは、質問に興味や関心をもつことにつながります。

（4）作戦タイムで、＜チーム力＞を生かして＜質問力＞を高める

　2回めが終わる頃には、グループごとの結束が強くなり、様々な姿で、＜チーム力＞の高さが表れていました。

　質問を増やすための作戦タイムを、1回終わるごとに設定していました。笑顔や腰を上げる姿が多くのチームで意識できており、温かい空気感を生み出していました。その空気感の中では、全員が安心して発言できるので、発表などに抵抗がある子どもも笑顔で学び合いを楽しんでい

るようでした。さらに、グループの全員が発言できるように「〇〇さんはどう？」と発言を促す姿も見られました。

　グループでの発言から、
・限定質問（はい／いいえで答えられる質問）
・テーマに沿った質問（動物・食べ物・スポーツについての質問）
・相手が答えやすい質問（相手の興味に合わせた質問）
　など質問の仕方にも着目することができていました。一部の子どもの発言だけでなくたくさんのアイデアを集めて、質問の数を増やそうとすることで質問の内容にこだわっていました。

　３回め後の作戦タイムでは、
・一人が連続で２回ずつ言う
・みんなで時計回りに
　など、全員が発言できる工夫も出てきていました。

　さらに、ゲームを通して友達の知らないところを知ることで「意外！」「私と一緒！」などの声も聞こえてきました。友達の知らないところをたくさん引き出すことでより仲のよい友達関係を築こうという気持ちが高まってきていました。

　ゲームが進むにつれて子どもたちの笑顔がどんどん増えていきました。その姿は、普段の友達関係の枠を超えて、関係を深め、学び合うことを通して＜質問は楽しいものだ＞ということを実感しているようでした。『笑顔や拍手、腰を上げることなどは全てチーム力を高めることにつながるんだね。そうして、チーム力が高まってくると、今日の授業のようにどんどん学びを深めていくことができるんでしょうね。これからもたくさんの話し合いなどで意識していきたいですね』
　と、今後の学び合いの際に＜チーム力＞を意識することができるように伝えました。

3 「5分の1黒板」の広がり

≫ <チーム力>を高めて学び合う学級の土台をつくる

　ある学級会でのことです。この時のめあては、「全員参加」でした。すると、友達同士での話し合いの際に、たくさんの子どもたちが自然と腰を上げていました。<腰を上げる>ということが学びに参加する姿として意識できているからです。

　クラス全体で腰を上げることを意識できるようになってくると、子どもたちの学び方が変わり始めました。例えば、グループで話し合う際に自分たちで机を動かし、グループ全員が話をしやすいように工夫していました。また、意見を広げるために、少し立ち歩いて様々な友達の意見を聞く姿も見られるようになりました。さらに、分からない問題に直面した時にも、笑顔で教え合いや学び合いをする姿やあきらめずに粘り強く友達と頑張る姿など、温かく学び合う空気感の広がりにもつながっていきました。

　そのような空気感の広がりは、コミュニケーションが苦手な子どもたちにとっても、よい影響が出ていました。少しずつ、自分から対話しようとする姿が増えてきました。その要因はとしては2つ考えられます。1つめは、学びの姿勢を子どもたち自身が考え、実行していくことで、温かい空気感が生まれ安心感のある教室になったことです。2つめは、コミュニケーション量です。学び合う関係性が普段の友達関係を超えて深まったことでたくさんの友達と話す機会が大幅に増えました。そうして、コミュニケーションへの抵抗が軽減し、質問力などのスキルが身についたことも加わって自分から対話していくことにつながったと考えられます。このような、教室全体で学び合おうとする気持ちの高まりこそが白熱した話し合いを実現する大きな土台となります。

自由な立ち歩きによる話し合い【形成期】

5 初めての自由対話（学級開き）

菊池道場徳島支部　村岡　陽平

菊池道場徳島支部　村岡　陽平

ここで示す価値語

一人を作らない

男女関係なく

自分からつながる

1 「5分の1黒板」のねらい

　学級の成長4段階の形成期における「自由な立ち歩きによる話し合い」での実践記録です。6年生の国語科『気持ちよく対話を続けよう』（東京書籍）です。「竹は木か草か」のテーマで、話し合いを行いました。活動のねらいは、温かなコミュニケーションを楽しみ、子どもたちとのやりとりを通して話し合いの約束をつくったり、流れを学んだりすることです。

　進級したばかりの子どもたちは、心機一転、頑張るぞと期待に胸をふくらませています。一方、新しいクラスでやっていけるだろうかという不安な気持ちも抱えています。集団の形成期において、このような状態はごく自然なことです。この段階では、コミュニケーションの量を増やすことを重視します。子どもたちとのやりとりを通して、「子どもと子ども」「教師と子ども」をつなぎ、学級集団として成長していく意義を丁寧に確認していくことで、教室には安心して学びに向かうための土台が形成されていきます。

　対話には、対象となるもの（事象・教材）との対話や、自己内対話、ペア・グループ、クラス全体での対話、自由な立ち歩きによる話し合い（以下、自由対話）など様々な形態があります。今回、紹介する自由対話は、言葉や表情、身体の動きを伴う学び合いです。自由対話を繰り返すことで、対話の質が高まっていきます。また、お互いの考えに触れることで、学び合いがよりダイナミックに変容していきます。

　「5分の1黒板」には、主に【在り方・考え方を示す価値語】（41ページ図2参照）を書いていきます。

　まず、授業の導入では、＜一人を作らない＞と書き、対話の柱となるグランドルールを確認します。自由対話のよさは、固定化された関係性を打破していくことで、話し合いを活性化することにもあります。初めて自由対話を行うと、どうしても仲のよい友達で固まったり、男子と女子に分かれたりと固定化した人間関係でペアやグループが形成される傾向があります。また、話し合いにうまく参加できず、一人になっている子の姿も見られることがあるでしょう。

　事中では、＜男女関係なく＞という価値語を「5分の1黒板」に書き、すすんで対話をしようとする姿をとらえて価値付けていきます。さらに、「一緒にやろう」と言って、主体的に友達の意見や考えを聞こうとしている姿をとらえ、＜自分からつながる＞よさも価値付けていきます。

「5分の1黒板」を活用して、ルールや約束の確認をしたり、プラスの行動を価値付けしたりすることで、子どもたちのコミュニケーション量が増え、話し合いは、より活発になっていきます。子どもたちも自由対話を通して、新たな気づきや発見をしたり、考え続ける楽しさを実感したりすることで、話し合いが自発的・内発的なものになっていきます。

「5分の1黒板」を活用した自由対話は、学級開きだけでなく、教科の学習でも繰り返し行います。子どもたちのコミュニケーションが促進され、教室での学び合いが、より豊かなものになっていくでしょう。

2 実践記録

（1）立場を決めて話し合う

　初めての自由対話では、立場を決めて話し合うことのよさに気づかせていきます。お互いの意見を聞き合うことを価値付けるために、最初と最後に、「お願いします」「ありがとうございました」とあいさつを交わすことをグランドルールとして明示します。立場を決めて話し合うことで、新しい気づきや発見が生まれたり、話し合いの楽しさを味わったりしながら、子どもたちは意思決定する経験を積み重ねていきます。

　最初は、立場を決められなかった子も友達の考えや意見を聞くことで、少しずつ自分の立場を決めていくことができるようになります。

　以下は、自由対話「竹は木か草か？」の大まかな流れです。

　　①　自分の考えをもつ

　　②　同じ立場で自由対話をする

　　③　意見発表

　　④　相手への反論を書く

　　⑤　違う立場で自由対話をする

　　⑥　話し合いをふり返る

　活動を通して、話し合いの基本の流れや楽しさを体感的に学ぶことが大きなねらいとなります。「5分の1黒板」には、安心感を生み出す価値語や対話を促す言葉を書いていきます。

　最初は、同じ立場で自由対話を行います。基本的に同じ立場で考えを受け入れてくれる人と話ができるので、子どもたちは安心して話し合いに参加することができるからです。

　以下は、実際の授業の様子です。

（2）みんなで話し合う、みんなが話し合う

『竹は木か草か』をゆっくりと丁寧に板書をします。子どもたちは、教師の指先を凝視しています。書き終わると全体を見渡し、もう一度、『竹

は木か草か』と語りかけます。子どもたちは、首をかしげたり、考えを
つぶやいたりしています。すかさず、
『木だと思う人！その理由を教えてください』と問いかけます。

　子どもたちは、一瞬視線をそらし、周囲の様子を見渡します。

　そのときです。Ａさんが天井に指をつき指すようにピンッと手を挙げ
て、「私は、木だと思います。竹は、丈夫で大きいからです」と発表し
ました。教師は、Ａさんと視線を合わせて、笑顔でうなずき、意見を受
け止めます。ほかの子どもたちもその様子に静かに耳を傾けています。
『確かに！その通りですね。竹は、丈夫で大きく、竹ぼうきや簾など生
活のいろいろな場面で道具としても利用されていますね。先陣を切って、
素晴らしい意見を発表してくれたＡさんに全員で拍手を送りましょう』

　教室は新学期当初から大切にしてきた温かな拍手に包まれていました。
Ａさんは照れくさそうにしています。その姿を見て、ほかの子たちも意
見を伝えたいとうずうずしています。教室の雰囲気が温まってきました。
『竹は木か草か。自分の立場を決めましょう！』

　子どもたちは、黒板に向かって歩み出します。自分の立場を決めて、
迷いなく進む子もいれば、首をかしげながら歩む子もいます。最後まで
自席でじっくりと考えている子もいます。そのとき、Ｂさんが、
「先生！どちらでもないという立場はありますか？」と尋ねました。
『もちろんです！自分の立場が決まっていない人は、両方の意見を聞い
てから、自分が納得できる方に決めましょう』

　それぞれの立場が決まりました。

『今から同じ立場の人と意見を伝え合います。席を立って、教室の中を
自由に動き、たくさんの人に話を聞いてみてください。このような話し
合いのことを「自由対話」と言います』

　子どもたちは、今すぐにでも席を立ち上がろうとする様子です。

『ひとつだけ約束があります』

　そう言って、「5分の1黒板」に、＜一人を作らない＞と書きます。

　教師は「5分の1黒板」を指さしながら、一人ひとりと目を合わせます。

『今から話し合いをします。約束は、＜一人を作らない＞です』

　子どもたちは、うんうんとうなずきながら聞いています。

『最初は「お願いします」、最後は「ありがとうございました」のあいさつをします。自由対話での大切なマナーです』

　子どもたちは、スタートの合図を今か今かと待っています。

『それでは、始めましょう』

（2）なぜ、話し合うのか？

　活動が始まると、子どもたちは、一人、また一人と席を立って歩き出しました。しかし、よく観察すると足取り重く、周囲の様子をうかがいながら動いている子もいます。また、ほとんどの子どもたちが、普段からよく話をしている友達同士で固まったり、男子、女子で分かれたりしています。一旦、活動を止めて、全体を見渡しながら、

『一人を作らずに話し合いができていますね。とても素晴らしいです。でも、みなさん、何のために、立ち歩いて話し合っているのでしょうか？』

　と問いかけます。

『素晴らしいペアを見つけました！』

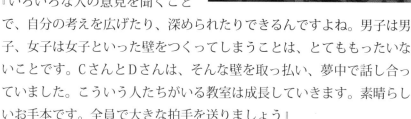

　そう言って、教師は、男女関係なく対話をしているCさんとDさんのもとに向かいます。子どもたちの視線も自然とその姿を追いかけます。

『いろいろな人の意見を聞くことで、自分の考えを広げたり、深められたりできるんですよね。男子は男子、女子は女子といった壁をつくってしまうことは、とてももったいないことです。CさんとDさんは、そんな壁を取っ払い、夢中で話し合っていました。こういう人たちがいる教室は成長していきます。素晴らしいお手本です。全員で大きな拍手を送りましょう』

　教室は再び温かい拍手に包まれていました。

その後、「5分の1黒板」に＜男女関係なく＞と書き加えました。

　子どもたちは、体の向きを変え、再び歩き出しました。その表情には力強さも感じられます。

　このようなやりとりを通して、人間関係の固定化を防ぎ、温かな話し合いに向けたグランドルールを子どもたちと一緒に創り上げていきます。＜男女関係なく＞話し合う子どもたちが、一人、また一人と増えていきます。話し合いが終わると、「ありがとうございました」と笑顔を交わして、意見や考えを伝えたり、聞いたりする楽しさを実感していきます。

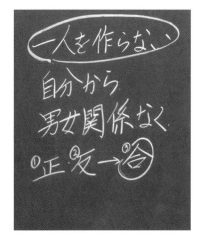

『今から、お互いの立場の考えを聞き合います』

『最初は、少数派の意見から聞いてみます。木の立場からお願いします』

　少数派から伝えることのねらいは、意見を出しやすくし、話し合いを活発にさせることにあります。

「私は、竹は木だと思います。なぜなら、竹は、木と同じように地中に根が張りめぐらされているからです」

「僕も竹は木だと思います。竹は集まると竹林という林になるからです」

「私も、同じです。草は、数週間で枯れてしまいますが、竹は枯れずに何年間も成長していきます」

『ありがとうございます。次に、草の立場の人、お願いします』

「僕は、竹は草だと思います。木には年輪がありますが、竹にはありません。また、竹は木のように幹が太くなることもないからです」

「同じです。木には実がなりますが、竹はならないからです」

「ほかにもあります。以前、竹には花が咲くと聞いたことがあります。これは、草や花の特長だと思います」

　双方から様々な考えが出てきました。立場を決め切れていなかった子も友達の考えを聞いて、自分の立場を決めていきます。

『どちらの意見にも納得できますね。立場を変える人はいませんか？友達の意見に納得して立場を変えることは、真剣さの証です』

　と伝えます。その言葉に、一瞬、迷った様子も見られましたが、子どもたちは立場を変えることはありませんでした。

『次は、違う立場の人と自由対話をします。一方的に自分の意見を話すだけでなく、相手の意見から納得できるところも探してみしましょう。詳しく聞いてみたいことを質問するのもいいですね』

『それでは、始めましょう』

（3）話し合うことは楽しいことだ！

　この段階では、教師が言わなくても、子どもたちは自由対話を進め、話し合うことそのものを楽しんでいます。自分と違う立場の意見から納得できるところを見出し、ノートにメモをする姿も見られることでしょう。あえて、教師も立場を決めて、話し合いに参加してみると、温かなコミュニケーションの輪が広がっていることが実感できるでしょう。子どもたちの「もっと話したい」という前向きな気持ちも感じられます。

　最初に、自分の立場を決められなかった子も友達の考えを聞くことで、自分の考えをもったり、意見を話し合ったりすることを楽しんでいます。

　普段は、自分から友達に話しかけることの少ないEさんも笑顔で自由対話を楽しんでいます。

　自分で立場を決めて話し合うことの心地よさが自信となり、子どもたちの態度や行動を変容させていきます。その姿には強さがあり、自分からつながろうとする子どもたちの前向きな思いが教室いっぱいにあふれていきます。

3 「5分の1黒板」の広がり

（1）「次」につなげるためのふり返り

最後に、感想を交流し話し合いをふり返ります。

> 違う立場の意見に納得させられました。何より話し合いが楽しかったです。今まではあまり話をしたことがなかった人とも話をすることで新しい視点の発見がありました。次もテーマを決めて話し合いたいです。

など前向きな言葉が返ってきました。子どもたちが感想を交流したあとに、＜自分からつながる＞と「5分の1黒板」に書き加えました。『いろいろな人と対話することで、新しい気づきや発見がありますね。このような温かな話し合いができるクラスは成長していくことができます』

子どもたちの頑張りを価値付け、1年間でめざす方向性を示します。

（2）温かな話し合いを楽しむ子どもたち

「5分の1黒板」を活用して、コミュニケーション量が増えていくと、対話の質が高まっていきます。また、子どもたちの話し合い活動で自由対話が定着してくると、普段の授業での学び合いがよりダイナミックになっていきます。自分と同じ立場の人と意見を交流したり、違う立場の意見と比べ合ったりすることで視野が広がり、学びが深まることが実感

できるからです。また、授業だけではなく、学級活動などでもアイデアがよく出るようになり、クラス全体が活性化していきます。温かな話し合いが土台となり、全員参加の温かな学級風土が醸成されていきます。

自由な立ち歩きによる話し合い【混乱期】
6 対話の型で話し合いの質を高める

菊池道場徳島支部　林　大葵

ここで示す価値語

3＋3＝6♪

しゃべる→質問する
→説明する

連続質問

1 「5分の1黒板」のねらい

　学級の成長4段階の混乱期における「自由な立ち歩きによる話し合い」での実践記録です。6年社会科「安土桃山時代」の授業です。「織田信長と豊臣秀吉、徳川家康の3人の武将で最も優れていたのは誰か」という論題でディベートの流れで話し合いを行いました。

　これまで、温かい空気感を大切にして話し合い活動をすることを続けてきました。笑顔や拍手、あいづちなどを子どもたち一人ひとりが意識して話し合いに向かうようになりました。そうすることで、教室に安心感があふれ、少しずつ自分の意見に自信をもって発言する姿が見られるようになりました。成長は、量にも表れ、箇条書きでどんどん意見を書く姿も出てきました。

　しかし、意見を一方的に伝えて、活動を終えてしまう姿も見られました。お互いに意見を交換する双方向の対話ではなく、一方的に意見を伝える伝達になっていました。お互いの意見を理解し、認め合い、深め合う中で「白熱した話し合い」は実現します。そのためには一人ひとりが対話をする力を身につける必要があると考えました。

　そこで、子どもたちに話し合う目的を明確に示すことで、対話をすることの必要性を感じられるようにします。さらに、対話の型を伝えることで子どもたちが話し合いの質を高めることができるようにします。まずは、お互いの意見について質問し、説明していくことを通して、新し

い意見を出したり、考えを深めたりすることをねらいとしました。

　本実践では、立場を決めたあと、同じ立場同士で話し合うことで、理由を増やし、自分の考えを深めていくことをめざします。

　ここでの「5分の1黒板」を活用するねらいは大きく2つあります。

　1つめは、話し合いの質を高めることです。＜3＋3＝6♪＞と示すことで、新しい気づき発見をするために話し合うという目的意識をもてるようにします。目的意識をもって話し合いに向かうことで、成長し合う学びの仲間としての関係ができます。その関係性は、友達に意見を伝えたいという気持ちや友達の意見を聞きたいという前向きな気持ちにつながり、話し合いの質を子どもたち自身で高めていくことにつながります。

　2つめは、話し合いの内容を深めていけるように促すことです。目的意識をもった子どもたちは自分の考えを成長させようと動き始めます。その際に、＜しゃべる→質問する→説明する＞を示します。対話の型を示すことで、全員が話し合いに参加できるようにします。質問については、＜連続質問＞をすることで自分たちの考えをより深められるようにします。質問されるという、ほどよい緊張感は、必要な資料を必死に調べることにつながっていきます。このように、「対話の態度目標・技術」を示すことで、話し合いの内容に目を向け、深め合う姿が見え始めます。

　教室全体で学び合うことの土台が形成期でできているからこそ、次のステップとして「話し合いの態度目標・技術」を伝えていきます。そうして、友達と対話する面白さを実感していくことで混乱期を抜け出し、全員がすすんで話し合おうとする学級に向かっていきます。

2 実践記録

（1）＜○分間で○個以上＞で意欲的に自分の意見をつくる

　黒板に、「三大武将の中で最も優れた人物は誰か」と書き、

『今から立場を決めてもらいます。立場を決めたあと、理由を考えますよね。5分間なんだけど、Aさんは何個くらい書く？』

「3個ぐらいかなあ」

『なるほど。Bさんは？』

「5個！！」

「5分の1黒板」に＜5分間で5個以上＞と書きました。

『じゃあ、5個以上書こう！たくさんの理由があればそれだけ話し合いが楽しくなります！箇条書きでどんどん書いていきましょう』

　子どもたちは、教科書や資料集、あらかじめ用意していた資料を使って勢いよく調べ始めました。沈黙から子どもたちの集中力の高さを感じながら、一人ひとりの姿を見つつ、適宜声かけを行いました。

　一人ひとりが意見をしっかりともつことは、このあとの同じ立場同士でのよりよい話し合いにつながります。

（2）同じ立場同士での話し合いの心構えを示す

　黒板にそれぞれの武将の名前を書いたあと、決めた立場のところに自画像画を貼るように言いました。

　子どもたちは、立場の散らばりをみてとても嬉しそうにしていました。考えの違いを認め、話し合っていくことの楽しさを知っているからです。

　貼り終えたあと、

『今から、同じ立場同士で集まって、意見を増やして、強くしてもらいます』と言いました。

　そして、「5分の1黒板」に＜3＋3＝6＞と書きました。

『例えば、Aさんが理由を3個、Bさんも理由を3個もち寄って話をしたとするよね。すると、意見は全部で6個になりますね』

次に、＜3＋3＝6↗＞と矢印を書き加えました。

『でも、話の仕方を意識すると6個以上出てくるようになるんです』

さらに、＜しゃべる→質問する→説明する＞と書きながら、

『今までは、もしかしたら、しゃべるだけで終わっていたかもしれないね。でも、お互いに質問して、説明することを繰り返していると考えが深まってきて新しい意見が出てくることがあるんですよ』

と言い、自由な立ち歩きで同じ立場同士の話し合いを始めました。「始め」の合図と同時に子どもたちは勢いよく話し始めました。

子どもたちが、＜しゃべる→質問する→説明する＞を意識している姿が見えます。「なぜ、そう思ったの？」「教科書のどこに書いてある？」と質問し合い、時にはメモをとりながら、お互いの意見を深めようとしていました。相手の意見やその理由に質問し、説明し合うことを通して「同じ立場だけど意見が違うね」という言葉が多く聞こえてきました。

（3）＜連続質問＞でお互いの意見をより深める

『止めましょう』

少し子ども同士の会話が止まり始めたので、一度、動きを止めました。「5分の1黒板」に＜連続質問＞と書きました。

『これは、ここからさらに意見を増やすためのヒントです。「なぜ」というのを一度聞いただけで止め

るのではなく、何度も聞いていくのです。例えば、最初に「そう考えた理由は何ですか」と聞きますよね。そのあとに、「どの資料から考えたのですか」ということや「その考えはなぜ優れていることにつながるのですか」と次々とつなげていくことができます。そうして、また新たに意見を増やしていくことができるのでしょうね』

その後、話し合いを再開すると、＜連続質問＞を意識する姿が見られ

ました。いきなり、連続質問ができるようになったわけではありません。子どもたちなりに友達の意見と資料、黒板を何度も見ながら質問を考える姿がありました。その姿こそが、まさに混乱期を抜けていく子どもたちの姿なのです。

　しばらくすると、止まっていた会話がどんどん活発になっていきました。子どもたちから連続質問を引き出す手立ても行いました。対話が止まっている子どもたちに声をかけました。立場は「織田信長」です。

『理由は伝え合いましたか？』

「はい」

『じゃあ、もう一度理由を聞かせてくれる？』

（教師もノートを見せてもらいながら理由を聞く）

『なるほど！！強いから優れていると思ったんだね』

　と言ったあと、質問する側の子どもに耳元で

『でも、織田信長が強いってどの資料に書いてあるんだろうね？』

　とささやくと

「この理由はどの資料から考えましたか」とにこにこしながら質問しました。答える側の子どもは少し戸惑いましたが、参照した資料を提示しました。そこで、もう一度、質問側の子どもに

『でもどうして戦いにたくさん勝ったことが優れているということにつながるのかな？』

　とささやきました。すると、また同じように

「なぜ、戦いに強いことと優れていることがつながるのですか」と言いました。

　その後、二人は連続質問を繰り返し、対話を続けていました。

　連続質問に対する応答が難しいと知った子どもたちは、対話のために教科書や資料集の隅々まで調べることだけにとどまらず、図書室に行ったり、タブレットを活用したりしてより前向きに学んでいきました。

　このように対話の型を示すことは、子どもたちの学びの指標になり、自分たちで学びを深めていくことにつながっていきます。

3 「5分の1黒板」の広がり

≫ 混乱期から抜け出そうとする子どもたち

　このように、一時的に成長が停滞すると思われる混乱期においても
ゴールイメージを明確にもち、次のステップに向けての具体的な手立て
を考え、実践することで子どもたちはさらに成長していきます。

　Ａさんは、形成期に＜質より量＞を意識してきたことから、箇条書き
でたくさんの意見を書けるようになっていました。しかし、自分の意見
を一方的に友達に伝えて活動を終えてしまう姿がありました。たくさん
の意見が書けるようになり、友達に安心して伝えられるようになった当
初、表情は明るかったのですが、しばらくすると笑顔も消えていました。
一方的な伝達は、面白くないと気づき始めていたようでした。

　しかし、この授業で対話の型を学ぶことを通して、Ａさんの話し合いの質
が高まりました。たくさんの意見があることから、友達からたくさんの質問を
受けていました。最初はつまりながらも一生懸命に答えていました。また、
たくさんの質問を受けることで教科書や資料を何度も読み込み、メモしてい
る姿も見えました。その度に、Ａさんの姿を価値付け学級全体に広げていき
ました。価値付けるたびに、Ａさんの表情は明るくなり、さらに頑張ろうとす
る意欲があふれ出たようでした。その後、箇条書きでは圧倒的な数で学級を
驚かせ、ほめ言葉のシャワー（第6章Ｑ9参照）で「箇条書きの鬼」という
称号がつきました。さらに、話し合いの時には、自分から積極的に質問したり、
説明するために必死に資料を探したりするようになりました。

　混乱期では、形成期から大切にしてきた＜笑顔＞＜拍手＞
＜質より量＞＜男女関係なく＞など話し合いの基本となる価値
語をより強く意識し始めます。だからこそ、さらに具体的な話し
合いの態度や技術を伝えていきます。そうすることで、これま
での学びを生かしてかみ合った話し合いに向かうという具体的
な目標が子どもたちにできます。目標ができると、子どもたちの
成長速度は一気に加速していき、混乱期を抜け出していきます。

>> その後の展開

　同じ立場同士の話し合いで自分たちの考えをまとめたり、深めたりしたことで、別の立場同士の話し合いでは、大きな盛り上がりを見せました。一人ひとりが立場を選んだ明確な理由をもっているからです。さらに、画用紙や発表ツールにまとめることで、常に自分の意見や友達の意見を確認できるため、質問したり、反論したりする際にとても効果的でした。このように、積極的に話をかみ合わせるための行動をしていました。

＜しゃべる→質問する→説明する＞や＜連続質問＞は、別の立場同士で自由に立ち歩いて話し合う際にも意識できていました。同じ立場同士の話し合いの時に比べて、友達の意見をより知りたいという思いが強いことから、質問の数も増えていきました。

　子どもたちは、資料を見比べながら、質問や反論を活発にしていました。教科書や資料集だけではなく、図書室の本や家から持ってきた資料なども活用しており、必死に自分の意見を深めていました。

「対話・話し合いの態度目標・技術」については、温かい空気感を重視する価値語として＜反論は思いやり＞、技術面を重視する価値語として＜反論の４拍子＞を示しました。話し合いを安心してできる空気づくりを土台として、技術を伝えることで、子どもたちの成長は加速します。そうすることで、さらに友達の意見の交流が活発になり、少しずつ「白熱した話し合い」に近づいていきました。

128

>> 背面黒板でのふり返りから

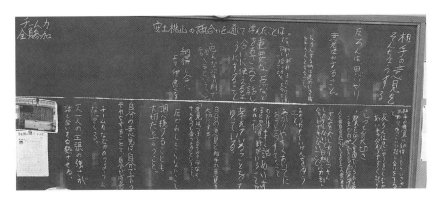

　話し合いを終えたあと、授業のふり返りを背面黒板で行いました。

　子どもたちのふり返りには以下のようなことが書かれていました。

・意見は「つぶし合う」のでなく「尊重し合う」ということ

・質問の大切さ

・反論は思いやり

・分かりやすく説明するためには資料がいること

　このように、「対話・話し合いの態度目標・技術」を子どもたちが大切に意識していることが分かります。

　さらに、

・一人ひとりの主張の強さが話し合いを白熱させる

・意見を出したり、質問したりしないと白熱した話し合いができない

・群れでなく集団でいれば白熱できる

　などの言葉から、「白熱した話し合い」を目標に土台を大切にして子どもたちが動き始めていることが分かります。その後も話し合うことの目的や対話の態度目標・技術を伝えました。そうすることで、具体的な「白熱した話し合い」のイメージがより明確になり、学級の目標として前向きに行動し、学びを深めていくことにつながっていきました。

<u>白熱した話し合い【標準期】</u>
7 反論の目的は「意見を成長させる」こと

菊池道場徳島支部　堀井　悠平

ここで示す価値語

人と意見を区別する

潔さ

番を考える

1 「5分の1黒板」のねらい

　学級の成長4段階の標準期における「白熱した話し合い」での実践記録です。5年生の国語科『カレーライス』（光村図書）という文学作品で、クライマックスの検討を行った授業です。「ひろし（主人公）の気持ちがガラリと変わったところはどこか」というテーマで絶対解を求める話し合いをしました。

　子どもたちは、1学期にディベートを経験し、話し合いの基本形や反論し合う楽しさを実感しています。また、各教科・領域でも意見が分かれるテーマでの話し合いを数回経験しており『今日は話し合いをするよ』と伝えると、歓声が起こるようになっていました。家庭学習では、証拠となる資料を調べてきたり、休み時間には友達と議論を続けたりと、学びの規模も少しずつ拡大していました。

　一方で、白熱した話し合いでの課題もありました。それは、私が反論する目的や価値を子どもたちに十分に伝えられていなかったということです。そのため、明らかに根拠が崩れているにも関わらず、反論を受け入れることができないということがありました。

　話し合いの授業に積極的なAさんも、これまでの話し合いの授業で、自分の意見に固執してしまうことが多くありました。そんなAさんの成長ノートには「本当に納得してから立場を変えたい」と書かれていました。話し合いの授業の中で、「本当の納得」を得られる経験ができれば、

Aさんのさらなる成長につながるのではないかと考えました。

　そこで、本実践では、人と意見を区別して反論し合い、互いの意見を成長させ合うことや、相手の意見を受け入れ、客観的に自分の考えを見直すことのよさを体験させたいと考えました。

「5分の1黒板」には、主に【在り方・考え方を示す価値語】（41ページ図2参照）を書きました。

　まず、授業の導入部では＜人と意見を区別する＞と書き、互いの理由に意見をぶつけ合い、反論し合う中で互いの意見を成長させ合うことを確認します。1学期から、このような話し合いでは、繰り返し書いてきた価値語ですが、その目的や価値が実感できるようになるまでは、何度も伝えていく必要があると考えました。

　全体の話し合いでは、自分の意見に固執せず、納得したら潔く変わることがポイントになります。そこで、意見を変える場面では＜潔さ＞という価値語を「5分の1黒板」に書き、自分の意見を俯瞰して見ていることを価値付けてほめるようにします。子どもたちの見方や考え方を広げることで、前ページに書いたような課題を克服させたいと考えました。

　また、話し合いの全体を見て、自分が何を言うべきかを考えられるように＜番を考える＞という価値語を伝えます。こちらが言う番か、それとも相手なのか、また、何を言う番なのかを意識して話し合うことで、より建設的な話し合いをめざしたいと考えました。

　以上の3つを「5分の1黒板」を活用しながら指導することで、子どもたちの実感を伴った学びにつなげたいと考えました。

2 実践記録

（1）互いの意見を成長させ合うために＜人と意見を区別する＞

　前時に、子どもたちの意見は大きく4つの場面に分かれていました。それぞれの立場に自画像画を貼りに行ったあと、次のように問いました。
『今、大きく4つの場面に立場が分かれていますよね。「ここは違うんじゃないか」「おかしいぞ」と反論したいところはありますか？』
「あります!!」「もう反論を考えています!!」
『いいね。じゃあ反論し合って2つの立場に絞っていきましょうか。今日は、お互いに反論することが多くなるんだけど、反論する時にみんなで大切にしたいことって何ですかね？隣の友達と確認し合ってごらん』
　相談が終わった後、1人の子を指名しました。
「人と意見を区別することです」
　周りの子どもたちも、「そう、そう」という表情でうなずいています。
『そうですね。人を攻撃するのではなく、意見と意見をぶつけ合うんだよね。これは、今日の話し合いの大きなポイントになりそうだから、ここに書いておくね』
　と言いながら、＜人と意見を区別する＞とゆっくりと書きました。
『じゃあ、反対意見を言い合うのは、何のためでしょうか？』
　と続けて子どもたちに問いました。ペアで相談し合う時間をとったあと、「意見を強くするため」「白熱するため」という考えが出てきました。
『そうだね。それらをまとめると、こういうことだよね？』
　と言いながら「5分の1黒板」にふり向き、＜人と意見を区別する＞の下に＜意見を成長させ合う＞と書き加えました。
『反対意見は、相手の意見を成長させるために言います。反対意見を言ってくれるということは、成長できるということなんですよ。だから、相手に反論されたら「ありがとう」と思えるような、お互いを高め合う話し合いにしていきましょうね』
「ありがとう」という言葉を聞いて子どもたちの表情がにこやかになり

ました。話し合いでの目的を全員で共有することができたようです。

（2）自分の意見を俯瞰して見ることを価値づける

　意見は4〜7場面の4つに分かれていました。子どもたちは、まず4場面の意見について反論したいということだったので、4場面への反対意見を述べさせました。

【4場面への反論】

「前回の物語文の学習のときに、クライマックスは題名に関係していることを学習しましたよね？『なまえつけてよ』では、勇太が「なまえつけてよ」と言うシーンがクライマックスでした。そう考えると、4場面には目玉焼きは出てきますが、カレーライスは一度も出てきませんよ？『カレーライス』という題名には意味があると思うので、4場面だと少しおかしいんじゃないですか？」

　5〜7場面の他の子どもたちも「たしかに」「なるほど」と声を上げています。この意見に4場面の子どもたちは、何も言い返せなくなりました。数秒の沈黙のあと、4場面のAさんが立ち上がって、

「少し4場面で集まって相談する時間がほしいんですけど、いいですか？」

　と言いました。子どもたちは笑顔でその提案を認め、全体の話し合いをしている間、4場面はサブの話し合いをすることになりました。

　数分後、4場面の子どもたちが教師のところにやってきました。

「先生、納得したので全員が4場面から立場を変えます」

　そして、一人ひとりが立場を変わる理由を発表しました。これまでの話し合いでは、納得して意見を変えることができなかったAさんは、

「先ほどの反対意見を聞いて、確かに題名との関係を考えると、4場面はおかしいということに納得したの

で、6場面に立場を変えます」

　と、悔しそうな表情を浮かべながら発表していました。

　全員の発表が終わったあとに、黒板上部に＜潔さ＞と赤のチョークで
ゆっくりと書き、次のように価値付けてほめました。

『先ほどの意見について、4場面のみんなで相談をして立場を変える決
断をしました。納得して立場を変えるということは、自分の意見を違う
目で見ることができている証拠だよね。人と意見を区別することができ
ているのではないかなと思います。潔い4人に、大きな拍手!!』

　黒板の前に並んだ4人に力強い拍手が送られました。ようやく話し合
いが動き始め、教室には凛とした空気が広がっていました。

（3）＜番を考える＞話し合いにする

　4場面がなくなり、5、6、7の3場面に絞られました。少数派の5
と7のどちらに反論したいかと聞くと、4場面の議論を踏まえ、まずは
カレーライスの出てこない5に反論したいとの声が上がりました。

【5場面への反論】

「5場面に『自分を元気づけた』という言葉があります。でも、次の文
には『自分を冷やかす自分もむねのおくのどこかにいるんだけど』と書
かれていて、僕は気持ちが曖昧になっていて、ひろしの気持ちはガラリ
と変わっていないと思うんですが、どうですか？」

「えーっと、でも、6場面にだって曖昧なところがあるんじゃないです
か？」

　思わず相手からの質問に対して、質問で返してしまいました。

『ちょっとストップね。今Bくんからの質問に、Cさんは質問で返して
しまったよね。これは、よくあることなんだけど、まだ5場面の人が質
問する番ではなかったんですよ』

　と言い、黒板に次のページのようなイラストを描きました。

『今の場面では、5場面の人に質問が来たので5場面の人が答える番に
なります。5場面のターンになったということなの。だから、5場面は

気持ちが曖昧ではないことをきちんと立証しなければいけないんだよね。立証責任を果たした上で、6場面の人に質問を返すっていうのは、もちろんOKです。こうやって、話し合いは自分の意見を立証する＜番＞が入れ替わっていくんだよね。少し難しいけど、ターンが変わると考えると分かるかな？』

＜番＞という言葉に初めは怪訝そうな顔で聞いていた子どもたちですが、「ターン」という言葉で番の意味を理解したようで、表情がパッと変わるのが分かりました。思わず質問を返してしまったCさんも、この説明に納得したようで、

「同じ立場の友達と作戦を立てさせてください」

と申し出がありました。立証責任を果たそうと考えたのだと思います。その後の話し合いでも、何度も「5分の1黒板」に立ち返って、

『今は、どっちの番かな？』

と子どもたちに問いながら話し合いを進めていきました。このように、繰り返し「5分の1黒板」を活用することによって、子どもたちの番への理解が深まっていることが分かりました。

結局、5場面の子どもたちが話し合いに戻ってきましたが、最終的にはほかの意見に納得して全員が立場を変えました。

そこで、先ほど書いた＜潔さ＞を指さしながら、

『5場面の人は、相手からの質問に対して立証することができませんでしたよね。そのことを認めて、潔く立場を変えるんだそうです。友達の意見に誠実に向き合った5場面の人は格好いいですよね！』

とほめました。先ほどの＜潔さ＞と＜番＞が布石となり、その後の話し合いにもプラスの影響を与えてくれました。

この授業では、6と7場面に絞られたところで終わりました。次の時間に、2つの立場の話し合いに続くことになりました。子どもたちは、白熱する二大論争になったことを無邪気に喜んでいました。

3 「5分の1黒板」の広がり

》》「次」につなげるためのふり返り

　話し合いのあとには、必ずふり返りを書くようにしています。教材の内容についてだけではなく、話し合いを通して学んだことをふり返ることで、次の話し合いにつなげることが大切です。

『今日の話し合いで学んだ＜意見を成長させ合う＞や＜潔さ＞＜番＞＜立証責任＞といった価値語を入れてふり返りを書きましょう』

というように、「5分の1黒板」に書いた価値語を指定してふり返りを書くとよいでしょう。書くことで、その価値語の理解がより深まります。

　今回の実践で、子どもたちのふり返りに多く書かれていたのは＜潔さ＞という価値語です。これまでの話し合いでは、自分の意見に固執してしまい、根拠が崩されているのに立場を変えないことがあったため、子どもたちにとっては印象に強く残ったのでしょう。

　今回の話し合いで、初めて納得して立場を変えることができたAさんのふり返りには、次のように書かれていました。

> 　立場を変えるのは正直悔しかったけど、友達の意見を聞いて納得したので潔く変われました。変わったあとは、すっきりした気持ちになれました。

　この話し合いをきっかけに、Aさんは、以前にも増して積極的に話し合いに参加するようになりました。公立の図書館に1人で足を運び、参考となる資料を入手したり、遠足の時にも友達とミニディベートをしたりと、学びの規模がどんどん大きく広がっていきました。

　翌日に本実践の話し合いの続きをしました。その導入で「5分の1黒板」に前時のキーワードである＜納得したら潔く変わる＞と書きました。このように「5分の1黒板」に書かれた価値語は、次の話し合いの布石にもなるのです。連続させることで効果を発揮していることが分かりま

す。こうした積み重ねが、話し合いをレベルアップさせていきます。

>> 話し合いを楽しむ子どもたち

右の写真は、子どもたちが
毎朝書いている「朝の黒板
メッセージ」の言葉です。前
時に「5分の1黒板」に書い
た<人と意見を区別する>と
いう価値語が話し合いのキー
ワードだと書いています。「成
長する試合にしましょう」と
いう言葉からも、前時に意見

を成長させ合うことが目的であったことが伝わっていることが分かります。そして、話し合いの続きを楽しみにしていることが黒板の言葉に表れています。

子どもたちから「5分の1黒板」に書いた価値語が出てくるということは、その価値語が学級に浸透している証拠です。よりよい話し合いにするには、人と意見を区別することが大切だという、その価値語がもつ意味や価値が学級のベースになっていることが分かるのではないでしょうか。

このように「5分の1黒板」の価値語は、実感を伴った理解が進むことで、子どもたちのものになっていきます。標準期は、これまで何度も伝えてきた価値語の意味が、より実感を伴った深い理解に近づく時期であると考えています。そして、学級全体に価値語が浸透していくことは、学級全体のまとまりがさらに加速することだと言えます。先を見据えて粘り強く価値ある言葉を伝え続けることが白熱した対話・話し合いの授業に向かっていくための大きなポイントになるのです。

【参考文献】

■ 宇佐美寛『「議論の力」をどう鍛えるか』明治図書，1993年

白熱した話し合い【達成期】

8 「子ども熟議」でWin-Win-Winの話し合いに！

菊池道場徳島支部　堀井　悠平

ここで示す価値語
傾聴
意見を「見える化」する
Win-Win-Win

1 「5分の1黒板」のねらい

　学級の成長4段階の達成期における「白熱した話し合い」での実践記録です。3学期に5年生で「子ども熟議」をした時の授業です。テーマは「新しい6年生を送る会は、どうあるべきか」でした。

　はじめに「子ども熟議」とは、子どもたちがよりよい生活を築くための話し合い活動です（菊池, 2011）。下の写真のように、あるテーマについて問題を洗い出し、その問題の解決に向けて話し合いを重ねます。

　これまでは、「子ども熟議」の手法ではなく、一般的な学級会のスタイルで学級の課題について話し合っていました。しかしながら、従来の学級会のスタイルでは、不完全燃焼のまま話し合いが終わるケースがありました。なぜなら、どうしても学級会の話し合いでは、一人ひとりの発言量が落ちてしまうからです。この時期は、一人ひとりが白熱した話し合いができる状態になっていました。特に、自由な立ち歩きによる話し合いでは、教室のあちらこちらで熱を帯びた議論を行っていました。

　学級会でも、ディベート学習で身につけた議論力を発揮して話し合っていたのですが、「子ども熟議」の方が、より全員参加型の話し合いを行うことがで

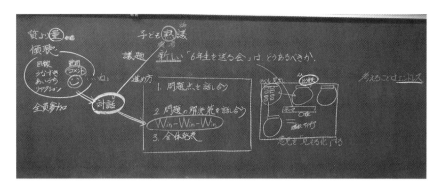

きるのではないかと考えました。また、協同して問題の解決を話し合う
熟議のスタイルは、ディベート的な話し合いを中心に行っていた子ども
たちにとって、プラスにはたらくと考えました。

　本実践での「5分の1黒板」の活用のねらいは、次の3つです。

　1つめは、新しいアイデアが生まれる対話を促すことです。そこで、
話し合う前に＜傾聴＞と書き、その具体的な行為について考える時間を
とりました。改めて、聞き合うことの大切さを伝え、全員が安心して参
加できる話し合いをめざします。話し合いの際にも、言葉かけをしなが
ら傾聴することを意識できるようにしました。

　2つめは、話し合いの流れをつかむために発言の「見える化」をする
ということです。話されたことは消えていきます。それでは、話し合い
の流れが見えません。＜意見を「見える化」する＞と書いて、出てきた
理由や説明を書き込んだり、矢印を使ったりするように伝えます。

　3つめは、意見の対立ではなく協同を促すことです。今回の話し合い
では、それぞれの考えを尊重しながら、対話を重ねて新しい意見をつく
ることをめざします。「5分の1黒板」には＜Ｗｉｎ－Ｗｉｎ－Ｗｉｎ＞
と書き、対立ではなく、協同して合意形成を図る話し合いを促します。

　この3つを示しながら、新しいアイデアが生まれる対話を促していき
たいと考えました。

2 実践記録

本実践は、次のような流れで話し合いました。

1　議題設定の理由と話し合いの流れを確認する。（5分）
2　前半の話し合い…問題の洗い出し（20分）
3　後半の話し合い…アイデア出し、具体化、発表準備（20分）
4　全体での発表（10分）
5　全体のまとめ、個人のふり返り（10分）

（1）傾聴力でアイデアを尊重し合おう〜前半の話し合い〜

　これまでの「6年生を送る会」の問題点を青の付箋に書いたあと、問題の洗い出しの話し合いを行います。

『今から付箋に書いた意見を出し合ってもらいます。みんなでアイデアを出し合う時間です。全員参加の楽しい話し合いにして欲しいんだけど、その時のポイントが…』

　と言いながら黒板にふり向き、＜傾聴＞とゆっくりと書きました。

　＜傾聴＞の読み方を発表させたあと、

『これは熱心に人の話を聞くっていう意味なんだけど、じゃあ、具体的にどんな聞き方をすればいいのかな？グループの友達に「あんた、傾聴得意よね？」って言いながら相談してごらん』

　子どもたちは、腰を少し浮かせて頭の距離を近づけながら話し合い始めました。笑顔でうなずいている子、身ぶり手ぶりを入れながら説明する子の姿も見られました。

　その後、自由起立発表で考えを出し合いました。子どもたちからは、「リアクションを入れる」「うなずきながら聞く」「目線を合わせる」「友達の考えにコメントを入れる」などの考えが出てきました。

　それらを「5分の1黒板」の＜傾聴＞の下にまとめて書き、

『このような聞き方ができると、いい
アイデアがたくさん出てきそうです
ね。「子ども熟議」では、友達の意見
を否定しないで、「いいね」と意見を
認め合いながら話し合います。だから、
傾聴は大きなポイントになりそうだよ

ね？（子どもたちがうなずく）それじゃあ、今から5分程度時間をとる
ので、友達の意見に傾聴して、意見をつないでいきましょう。合言葉は
「いいね」です。それでは、始めましょう！』

　子どもたちは、サッと席を立ちグループ全員が同じ方向から模造紙が
見える位置に移動しました。そして、早速話し合いが始まりました。
「毎年学年の出し物が定番になっていて、『また、これか〜』ってなると
きがあるんですよ。そこを変えられたらいいかなって思います」
「あ〜、たしかに」

　と、模造紙の付箋を眺めながら、あいづちやうなずきを入れてしっか
りと聞き合っていました。「いいね」という声も聞こえてきます。
『おっ、リアクションがいいね！リアクションがあるグループは、笑顔
でアイデアを出し合っていますね』

　と言葉かけをしながら、各グループを見て回りました。
「5分の1黒板」に書くことによって、教師も傾聴する姿を意識して見
取ることができます。そして、何度も「5分の1黒板」に立ち返って指
示やフォローを繰り返し行いながら、活動を高めていくことができます。

（2）意見を「見える化」して、アイデアの理由を出し合おう

　前半の話し合いも終盤に差しかかりました。模造紙には、仲間分けさ
れた意見が並び始めました。そこで、「5分の1黒板」を使いながら新
しい指示を出しました。
『ちょっといいですか？（子どもたちが注目する）意見が、いくつかの
グループにまとまってきているようなので、ここからの話し合いのポイ

ントを言いますね。それは、ずばり…』

　と言いながら「５分の１黒板」に＜意見を「見える化」する＞と書きました。書いた価値語を指さしながら説明を続けます。

『まずは、仲間分けしたものを丸で囲んで、そのあと、それぞれの仲間に見出しをつけてもらいます。この流れはいいかな？（子どもたちがうなずく）あとね、この模造紙は皆さんにとって黒板のような存在なんですよ。だから自由に矢印を伸ばしたり、理由を書き込みしたりして意見の「見える化」をめざしてくださいね。（笑顔で語りかける）それでは、傾聴を忘れずに、話し合いを続けましょう』

　子どもたちは、まずは仲間分けについて話し合いを始めました。

「この意見も丸の中に入れた方がいいんじゃないですか？」

「あ〜、たしかに！司会のリハーサル力も「準備」の仲間に入るもんね」

　と、意見をつなぎながら仲間分けや見出しをつける姿が見られました。

　しばらくすると、矢印で意見をつないだり、書き込みをしたりするグループも出てきました。意見が整理された模造紙を見て「すご〜い！めっちゃ分かりやすくなってきたね」と拍手をしている子もいます。どのグループも自然な笑顔がこぼれ、いい雰囲気の中で話し合っていました。

　教師は各グループの話し合いを見ながら、

『いいリアクションですね』

『意見にコメントをするのをセットにして「つなぐ」話し合いにしよう』

　と、「５分の１黒板」とつなぎながら言葉かけをしていきました。

　この話し合いでは「各学年からの贈り物や発表が毎年同じ」「活動のあと、なかなか静かにならずに、集会がスムーズに進行できない」といった課題が出されました。

（３）Win-Win-Winの話し合いにしよう〜後半の話し合い〜

　いよいよ後半の話し合いが始まりました。先ほどの話し合いで出された問題の解決をめざして合意形成を図る「子ども熟議」のクライマックス場面です。

　まずは、ピンクの付箋に解決策を書き出していきました。問題を解決する話し合いに入る前に、この話し合いの目的を確認しました。
『ここからは、みんなのアイデアを出し合って問題の解決策を考えてもらいます。ここでも、さっきと同じなんですけど』
「5分の1黒板」の＜傾聴＞の方に手を向け視線を動かしました。
『しっかりと友達の意見に耳を傾け、対話を重ねていきます。（対話と書き加える）そうすると、何か新しいアイデアが出てくるかもしれませんね？だから、とことん対話を重ねながら、グループの結論を出していってくださいね。めざしているのは、みんなが納得できるこれだよね？』
　と言いながら「5分の1黒板」に＜Win-Win-Win＞と書きました。3つの価値語を矢印でつないだあと、＜傾聴⇒対話⇒Win-Win-Win＞を左から順に指さしながら、
『新しい「6年生を送る会」をめざして、アイデアを出し合いましょう』
　と伝えました。子どもたちは、気合いの入った表情で返事をし、話し合いを始めました。

　学級会の時には、なかなか発言できずにいた女の子は、付箋にアイデアをたくさん書いていました。それらを模造紙に貼りながら、なぜそのアイデアが生まれたのかを説明していました。否定のない「子ども熟議」だからこそ、安心して話

し合いに参加できるのだと思います。教室には、温かい空気感ができていました。
　最後に、各グループからの発表をしました。そこでは、
「もっと6年生と交流ができるゲームを増やしたらいい」
「退場の時に派手な演出がしたい」
「司会進行の人は、バラエティー風に盛り上げるようにする」
　といった、これまでの「6年生を送る会」に見られなかったような、新しいアイデアが生まれていました。

3 「5分の1黒板」の広がり

≫ 話し合い後の「子ども熟議」分析

　下の作文は、本実践の翌日に提出さ
れた「私の本」の内容の一部です。議
論が大好きなＡさんは、初めての「子
ども熟議」に影響され、4ページに渡っ
て「子ども熟議」を通しての気づきや
発見のまとめと、教師への質問をびっ
しりと書いていました。

　その一部を紹介します。

　今日家に帰ってから、私は熟議をしたことばかり考えていました。
どんなことを考えていたかというと、「飾りつけというアイデアが
いいなあ」など、よかったこともたくさん思い出しました。また、
グループで協力している光景がずっと頭の中にあって、頭の中では、
抑えきれなくて、成長ノートに今思っていることを書きました。
（中略）

　3つめは、それぞれのグループに個性が表れていたことです。ふ
せんの量を少ないけど、1つにまとめているところや、たくさんふ
せんをはって、みんなの意見を「見える化」しているところ、矢印
を使って関係性を表しているところなど、特徴が表れていました。
悪いところが1つもなく、個性というものは「いいな」と改めて思
いました。

　この作文は、次の日に印刷をして学級全体に配りました。4ページの
緻密な分析に、子どもたちはすっかり感心していました。そして、分析
の内容に書き込みをする時間をとりました。ただ配布して終わりではな
く、その1枚からも新しい気づきや発見を得て、個人の学びにつなげた

いと考えたからです。

　この翌日、ノートで得た学びを生かして、写真のように、「私の本」で、自分でテーマを決めて「1人子ども熟議」をしている子が現れました。

　Aさんの「私の本」に感化されたようです。「5年2組がSA（スーパーA）に行くために、必要なことは何か？」というテーマで、これから学級が成長するには、何ができるかを考えていました。このように、達成期では、「今、私は学級（チーム）のために何ができるか？」を考える子どもが出てきます。その個の活躍を取り上げながら、全員がリーダーとなることをめざしていきます。

≫ 新しい「6年生を送る会」を実践する

退場の時に紙吹雪を投げて祝福する

スローガンを掲示して目的を共有する

「6年生を送る会」は、5年生が中心となって計画から運営までを行いました。写真のように、退場の時に紙吹雪を投げて祝福したり、スローガンを掲示して集会の目的を見える化したりと、「子ども熟議」で決まったアイデアが散りばめられていて、卒業する6年生はとても喜んでくれました。子どもたち自身も、新しい挑戦ができたことに誇りをもっていました。この機会が学級の成長を大きく後押ししてくれました。

教師と子どもをつなぐ

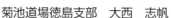

9 特別支援学級での「5分の1黒板」

菊池道場徳島支部　大西　志帆

ここで示す価値語
いいしせい・えがお
あきらめないちから
おしえてくださいは まほうのことば

1 「5分の1黒板」のねらい

「よっしゃ〜!!」

　Aさんから出てくる私の大好きな言葉です。Aさんは1年生の女の子です。1年生の初めから特別支援学級に入級しています。Aさんは友達との関わりが大好きで交流学級に行くと、とても楽しそうに友達と遊んだり話したりしています。しかし、学習に対して苦手意識が強く、授業の初めには「いやだ〜やりたくない〜」と言うことがよくありました。また、課題に対して、「できない〜難しい〜」と自信をもてずにいることもありました。しかし、「いやだいやだ」「できない」「難しい」と言いながらも、いつも最後までやり抜きます。ここはAさんのとても素晴らしいところだと思っています。そこで、このAさんの素晴らしい長所である『諦めずに最後までやり抜く力を伸ばしたい』『楽しく学習をスタートできるようにしたい』と思い、「5分の1黒板」を活用することにしました。すると、授業中に、冒頭に書いた「よっしゃ〜!!」という言葉がAさんから、よく出てくるようになりました。どのようなプロセスで、この素敵な言葉がAさんから出てくるようになったのかを「2　実践記録」で示していきます。

　特別支援学級では、一人ひとりの学びやすさに寄り添って個別で学習することが多くあります。耳からの情報だけでは理解しにくい子や見通しをもって行動することが苦手な子などには、指示や伝えたいことを視

覚化することが効果的です。その時に、ホワイトボードを使ってシラバスを示すことがあります。そのシラバスには、1時間の学習の流れを書き、見通しをもって取り組めるようにしています。主に「何を学ぶのか」が書かれているのです。

しかし、それだけでは子どもたちはどのように学べばよいのか分かりません。そこで「5分の1黒板」には「何を学ぶのか」に付け加えて「どのように学ぶのか」という行動や姿を明確に示します。そうすることにより、子どもたちがどうすればよいのかを具体的にイメージすることができ、「よしっ!!頑張ってみよう!!」と前向きに行動に移すことができます。このように、やる気を引き出し、その姿をほめることで、次のやる気へとつながっていきます。

例えば、「きちんと」「ちゃんと」「一生懸命」と言われても、「どの姿がきちんとしているのか」「ちゃんとするってどういうこと?」「一生懸命やっているけど…」と、子どもたちは戸惑ってしまいます。しかし、<やる気の姿勢><出す声で><切り替えスピード>などの具体的な姿を示すことで、子どもたちはより行動に移しやすくなります。また、その価値付けたことを書き残していき、成長を視覚化することで、子どもたちの達成感や自己肯定感をさらに高めることができます。

また、Aさんは、目の前の大きなホワイトボードに書くよりも、小さなホワイトボードに書いて机の上で確認する方が、より価値語を意識することができます。自分ができたことをいつでも見られることが自信につながります。さらに、次に何をどのようにすればいいのか見通しをもつことができ、より落ち着いて学習に取り組むことができます。このように、黒板にとらわれることなく、Aさんに合った「5分の1黒板」の活用方法を考えることを大切にしています。

2 実践記録

（1）授業前にやる気を高める価値語を書き、授業への心構えをつくる

　国語科でカタカナの書き方を学習する授業でのことです。文字を読み書きすることが苦手で、「いやだ〜やりたくない〜」と、国語の学習に前向きになれないことがありました。Ａさんは、文字の読み書きなどの苦手なことに意識が向いていて、しんどいなと感じているように見られました。そこで、学習に向かう態度や姿勢に意識を向け、楽しく授業を始めることで、やる気を引き出すことができるのではないかと考えました。

　この時間は「きれいな姿勢を保ち、笑顔で楽しく授業に参加する」というめあてを設定しました。そして、授業が始まる前にホワイトボードに＜いいしせい＞＜えがお＞と書きました。教室に入ってきたＡさんに、

『今日はどんなことを頑張りますか？』

　と聞きました。すると、

「いい姿勢を頑張る」

　と答えました。今まで学習に後ろ向きだったＡさんから「頑張る」と

いう前向きな言葉が出てきたことが嬉しく、思わず、

『おっ!!いいね!!最近、いすに座っていられるようになったもんね。１学期の頃より、とてもいい姿勢になっているよ。じゃあ今日はいい姿勢を頑張ってみよう!!』

　と励ましの言葉が出ました。そして、

『Ａさん、先生も同じことを考えていたんだよ!!』

　と言いながら、ホワイトボードを見せました。すると、Ａさんは嬉しそうに背筋をピンと伸ばしました。やる気が出てきたのを感じたので、

『今日はもう１つ頑張ることを書いてみたんだけど、できるかな？』

と2つめのめあてを伝えることにしました。するとAさんは、「なんだろう？」という表情でにこにこしながらこちらを見ていました。

『2つめは笑顔です。一生懸命頑張っても楽しくないとしんどいよね。楽しくなるポイントは笑顔です‼Aさんの笑顔はとてもステキだから今日はたくさん見せてね』

と＜えがお＞の文字を指さしながら言うと、Aさんは満面の笑みでうなずいていました。＜えがお＞の横に笑顔のイラストを描いていたので、自然と笑顔になったのだと考えます。言葉だけでは理解しにくいこともイラストがあると、より分かりやすいものになります。こうして、授業が気持ちよくスタートしました。

このように、授業が始まると同時に、Aさんが前時にできていたことやもう少しでクリアできそうな目標を示すことで、「よしっ‼頑張ろう‼」と授業へのやる気を高めることができました。

（2）はなまる＋価値語をホワイトボードに書き、やる気を引き出す

一生懸命頑張ったことやできたことなどをホワイトボードに書いて、視覚化し、子どもをほめます。その時に、頑張った証として価値語の横に、はなまるを描きます。子どもたちは「私、頑張ったな」と自分の頑張りや成長を改めて実感することができ、これからの活動への活力となります。このように、価値語だけでなく、その子の頑張りを視覚化することで子どものやる気を引き出すことができます。

Aさんは、1学期からたくさん字を書く練習をして、自分の名前をスラスラと書けるようになりました。しかし、枠の中に1列で名前を書くことにまだ苦手意識をもっているようでした。

夏休み前に絵日記に名前を書く機会がありました。その時、ホワイトボードに＜たて1れつになまえをかく＞と書きました。すると、

「え〜、いやだ〜難しい〜」

　という反応がＡさんから返ってきました。そこで、今までできたことについているはなまるを指さしながら、

『Ａさんならできるよ!!こんなにはなまるになってきたじゃない。頑張ってみようよ!!』

　と声をかけると、顔の表情が柔らかくなってきて

「できるかな〜頑張ってみようかな〜」

　とチャレンジする気持ちが出てきました。そして、枠をはみ出すことなく、丁寧に名前を書くことができました。そこで、ホワイトボードに書いた＜たて１れつになまえをかく＞の左に、はなまるをつけました。そのはなまるを見て、Ａさんは

「よっしゃ〜!!はなまるだ〜!!」

　と全力で喜んでいました。そして、

『はなまるがこんなに増えたね。これだけ成長しているってことだよ。すごいね。よく頑張っているよ』

　と、はなまるの数を一緒に数えてほめると、Ａさんは、にこにこ笑顔でとてもいい表情をしています。最初は消極的なＡさんでしたが、頑張ってチャレンジすることで、できないと思っていたことができるようになり、自信につなげることができたのではないかと思います。そして、

『Ａさんは、きれいに書こうとして、何回も書き直したね。最後まで諦めなかったね。これはとてもすごいことだよ。成長しているね』

　と話したあとに、ホワイトボードに＜あきらめないちから＞と書いて、はなまるをつけました。

　このように、はなまるをつけることで成長を視覚化し、子どもが達成感を感じることで、次へのやる気につながります。ポイントは、活動を細かく分ける

ことと、スモールステップで段階的に
目標を示していくことです。はなまる
が増えるたびに、子どもと教師が一緒
に成長を喜び合うことができます。そ
れを継続していくことで、子どもはさ
らに自信をもって生活できるようにな
ります。

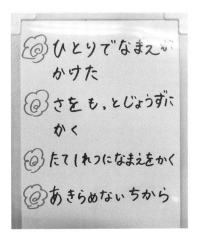

　そして、はなまるをつけたあとに、
なぜはなまるなのか、どんなところが
はなまるだったのかを伝えることも大
切です。今回は、最後まで諦めずにやりきったところを＜あきらめない
ちから＞と価値付けました。このように、はなまる＋価値語で示すこと
で、「5分の1黒板」をより効果的に活用することができます。

（3）自分で周りに助けを求める姿を価値付け、自立の心を育てる

　一人だけでできないことや分からないことがある時、そのままにして
いては、社会に出た時に誰にも助けてもらえず、困ったまま時間だけが
過ぎていくということがあるかもしれません。そのために、助けが来る
のを待つのではなく、自分から周りに助けを求める力が必要だと考えま
す。

　Aさんが、国語のテストに取り組んでいる時のことでした。最初はス
ラスラと解けていたけれど、分からない問題にぶつかりました。それで
も、諦めずに一生懸命考えていました。しかし、しばらく考え込んだ後
「分からない〜分からない〜」と泣きはじめてしまいました。
『Aさん、大丈夫だよ。ここまでよく頑張ってきたね。どうしたの？』
「この問題が分からないんだよ〜」
『そういうときは「この問題が分からないから教えてください」って言
えばいいんだよ』
　と言いながら、ホワイトボードに＜おしえてくださいは　まほうのこ

とば＞と書きました。するとＡさんは泣き止んで、
「この問題が分からないから教えてください」
　と自分で助けを求めることができました。
『「教えてください」って言ったら、みんな助けてくれるからね。教えてくださいは魔法の言葉なんだよ』
　その後、国語科で「じどう車ずかん」を作る時間がありました。Ａさんは、「車」という漢字が上手に書けず、何回もやり直していました。どうするかなあと思いながら見ていると、自分から、
「車が書けないから教えてください」
と言うことができました。私はすかさず、
『＜おしえてください　は　まほうのことば＞を覚えていたんだね。偉いっ!!』
　と価値付けました。そして、一緒に「車」と書く練習をしました。
　このように、困った時や一生懸命考えても分からない時には、自分から周りに助けを求める姿が多く見られるようになりました。そうすることで、できることが増え、Ａさんにより自信がついてきたように思います。また、「５分の１黒板」に＜おしえてください　は　まほうのことば＞と書くことで、分からないことは聞いていいんだ、みんなが助けてくれるんだということを実感することができます。自分から助けを求めることで、「分からない、できない」と悩む時間が少なくなり、活動にも前向きになってきました。「自分には助けてくれる人がいるから大丈夫」

という安心感が、どんなことにも自信をもってチャレンジしていこうとする自立の心を養うことにもつながると考えます。

3 「5分の1黒板」の広がり

≫「5分の1黒板」を残していき、成長を視覚化する

　ホワイトボードには、長い間、価値語を書き残しておくことはできません。そこで、ホワイトボードに書いた価値語をメモ帳に書き残していくことにしました。このメモ帳は、Aさんにとって自分がどれだけ成長したかを確認できる「成長ノート」となっています。そして、Aさんと私とのつながりを感じられるものでもあります。

　ある日、ふとAさんと一緒に、この成長ノートを読み返してみました。『9月は、めあてが＜えがお＞だったんだね。今日は自分から進すすで笑顔で楽しく授業に参加できていたよね。言われなくても自分からできるようになったんだね。すごいっ!!成長しているね』

　と言うと、少しはにかみながら、成長ノートを見ていました。それから、

成長ノートのはなまるの数を数えて、
「はなまるが65個もあるっ!!」

　と興奮気味に教えてくれました。
『こんなにできるようになったことがあるんだね。すごいっ!!これからまだまだ増えていきそうだね』
「うんっ!! 100個いきそう!!」
『200個、いや300個いけるんじゃない！？』
「え〜!!」

　驚いたリアクションをしながらも、嬉しそうに頬を緩ませていました。
　特別支援学級では、教師と子どもとの信頼関係が子どもの成長の鍵を握っています。今までの頑張りを見てきたからこそ、その姿をしっかりとほめ、Aさんの自信につなげていきたいです。また、ほかの先生方とも連携しながら、この成長ノートを6年生まで続けていきたいと思います。そうすることで、Aさんが自分の成長を自覚し、これからもさらに自信をもって生活していくことができると考えます。

「5分の1黒板」 Q&A 10

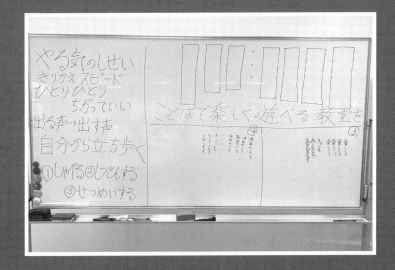

「5分の1黒板」Q&A 10

菊池道場徳島支部　堀井　悠平

≫ 第6章の概要

　ここまで「5分の1黒板」でめざす授業や、その具体的な実践について述べてきました。ここまでお読みいただく中で、「5分の1黒板」についてよく分からないことや、疑問点が出ているのではないでしょうか。あるいは「5分の1黒板」を活用する中で気になることが出てきたという方もいるでしょう。実際、次のような質問をよく受けます。

　○「5分の1黒板」には、どんな価値語を書いたらよいのですか？
　○いつ、どのように書いているのですか？
　○「5分の1黒板」に書いた価値語は、いつまで残していますか？

　私も「5分の1黒板」を実践する中で、行き詰まったり同じような疑問をもったりしていました。

　本章では、このような「5分の1黒板」を実践していく中で気になることをQ&Aというかたちでまとめました。以下の10の内容です。

【本章で紹介するQ&A】

> Q1　「5分の1黒板」に書いた価値語はいつまで残しておけばよいのですか？
>
> Q2　1学期の初めはたくさん書いていたのに、途中から書かなくなってしまいます。
>
> Q3　「5分の1黒板」に同じ価値語を何度も書いてよいのでしょうか？
>
> Q4　学習規律的な価値語ばかりになってしまいます。
>
> Q5　「5分の1黒板」に書いた価値語を消さずに残しておきたいのですが、何かアイデアはありませんか？

Q6　1学期に書いていた価値語を3学期になってもまだ書いています。

Q7　全ての授業で「5分の1黒板」を使わなければいけないのでしょうか？

Q8　「5分の1黒板」は、なぜ左端のスペースに書くのですか？ほかの場所に価値語を書いてはいけないのでしょうか？

Q9　価値語には難しい言葉が多いですが、低学年でも実践できますか？

Q10　教科担任制でも「5分の1黒板」は活用できますか？

≫ 第6章の構成と読み方

本章は、1つの質問とその回答を見開きにまとめています。

はじめに、Q&Aの概要を吹き出しにまとめて書きました。

そのあと、回答についての詳しい説明をしています。回答に書かれている基本的な考え方は、第1章や第2章に示している通りです。根幹になる授業観や教育観、「何のために」という目的を確認しながら、お読みいただきたいと思います。

また、これまでの章と関連させながら読むことができるように、説明の中で注釈を入れています。（例〈第2章○ページ参照〉）各章の内容と往還しながら読むことで、その目的や実践のイメージがより鮮明になってくるものと考えています。

最後に、本章を読む際に気をつけたいのは、ここでの回答が絶対の答えではないということです。「5分の1黒板」を実践する上で大切にしている考え方や、めざす授業像をもとに菊池道場のメンバーと議論して考えた内容です。したがって、先生方が実践する目的を明確にしていれば、それぞれの教室で創意工夫をしながら新しい「5分の1黒板」の可能性を見出すことができるのではないかと考えます。

教室の実態に応じて、ぜひアレンジしていってください。

本章が、先生方の「5分の1黒板」を使ったよりよい実践につながっていく一助になれば幸甚です。

Q1

「5分の1黒板」に書いた価値語はいつまで残しておけばよいのですか？

いつまでと決まっているわけではありません。目的が達成されていれば、教師のタイミングで消してもいいんですよ。

Q1 「5分の1黒板」に書いた価値語はいつまで残しておけばよいのですか？

Answer 1

「5分の1黒板」は、子どもたちに望ましい行動や考え方を価値語で示し、学び合う関係性や対話・話し合いを豊かにするものです。その場の関係性や教師の目的が達成できていたら、だいたいその日のうちに消してしまうことが多いです。ただし、形成期で教師との関係性がまだまだ十分ではなく、指導したいことが伝わりづらいときなどは、少しの期間、黒板に残しておくとよいでしょう。混乱期などにもそういった時期があります。教師がこうあってほしいと望む子どもたちの行動が定着するまでは、何度も書いたり消したりの繰り返しになってよいと思います。大事なのは、いつどのように黒板に提示すれば効果的に価値語を子どもたちに伝えられるかです。

　第5章の実践記録にも、形成期・混乱期・標準期・達成期で同じ価値語も書かれています。菊池省三氏の板書を見ても、目の前の子どもに適したその日のその瞬間の価値語が書かれています。（詳しくは『写真で見る 菊池学級の子どもたち「価値語」で人間を育てる』中村堂、2014年を参照）

≫ 基本的にはその日のうちに消す

「5分の1黒板」に書いた価値語はその日のうちか、時としてその授業後に消してしまうこともあります。思い出してください。なぜ、あなたは「5分の1黒板」に価値語を書いたのでしょうか？そのことを思い出せば、自ずと消すタイミングは分かってきます。前述したように「5分の1黒板」は、子どもたちに望ましい行動や考え方を価値語で示し、学び合う関係性や対話・話し合いを豊かにするものです。目的が達成できていれば、消していいのです。また、目の前の子どもたちの状況はすぐに変わっていきます。刻一刻と変化する教室の状況に合わせて書き出す価値語も書いたり消したりしてみましょう。

≫ 長く残しておきたいとき

①【「5分の1黒板」ノート】②【価値語モデル】の形で残す方法があります。（詳しくはこの後のQ&AのNo.5〈「5分の1黒板」に書いた価値語を消さずに残しておきたいのですが、何か

②【価値語モデル】

アイデアはありませんか？〉に掲載していますので参照ください。）

どの方法もおすすめですが、学級全体の空気感を温かくしてくれるのは②だと思います。教室に価値語モデルが増えていくと、花が咲いたようにその多彩な色がみんな（全体）に元気を、書かれている子（個）に勇気を与えてくれているように思います。

（村上 功洋）

Q2

1学期の初めはたくさん書いていたのに、途中から書かなくなってしまいます。

子どもたちの成長を願い、明確なゴールイメージをもつことが大切です。意図的・継続的な指導ができるといいですね。

Q2　1学期の初めはたくさん書いていたのに、途中から書かなくなってしまいます。

Answer 2

「5分の1黒板」は、第2章で述べられているように、教師と子ども・子どもと子どもの関係性を築き、ほめて育てていくためのものです。教師の教育観や授業観が表れるため、学級のゴールイメージに向かって、子どもたちから出てきた価値語の植林を意図的・継続的に続けていけたらよいですね。

》 明確なゴールイメージをもつ

　多くの先生方は、「こんなクラスにしたい」「こんな子どもを育てたい」という思いをもって新年度を迎えていると思います。しかし、そのゴールイメージが明確ではない場合、教師自身が途中でブレてしまい、ゴールに向かう子どもの望ましい姿を見落としてしまいます。ここでいう、明確なゴールイメージとは、「具体的な子どもの行為像」のことです。例えば、「白熱した話し合いができる学級」という学級目標があるとします。それだけでは、白熱した姿がいったいどういう姿なのか、ぼんやりとしています。そこで、教師自身が白熱した教室の具体的な子どもの

行為像をイメージしておく必要があります。例えば、

1. 温かい拍手（拍手の3拍子）ができる。
2. うなずきやあいづちを入れて聞くことができる。
3. ちょうどよい声の大きさで話すことができる。
4. 身ぶり手ぶりを入れながら自分の考えを伝えることができる。
5. 人と意見を区別することができる。

などです。（詳しくは第2章を参照）

しかし、いきなり＜人と意見を区別する＞と言われても、行動に移せないことがあると思います。＜人と意見を区別する＞ためには、自分の考えをしっかりもつことや、関係性を築くことが必要です。そこで、スモールステップで学期や月ごとに中期目標や短期目標を設定します。その目標に合わせた価値語を伝えていくことで、子どもたちの成長に合った価値語を植林することができます。

明確なゴールイメージをもつことで、4月から子どもたちの成長を見逃さずに「5分の1黒板」を使って価値付け、クラス全体へと広げることができます。

≫ 価値語のレパートリーを増やす

もう1つの理由として、教師自身の価値語のレパートリーが少ないことが考えられます。レパートリーを増やしていくことで、子どもたちに合った価値付けをすることができます。

価値語とは、決まった言葉があるわけではありません。ゴールに向かって成長していく中で見つけた子どもの行為を、言葉に表したものだからです。つまり、子どもにとってプラスになる言葉は全て価値語になるのです。プラスの言葉をたくさんもっていると、子どもたちが感化されるようなほめ方につながります。また、教師から提示するばかりではなく、子どもたちから出てきた言葉も価値語となります。

第7章の価値語辞典や『価値語100ハンドブック』（中村堂）を参考に、価値語を増やしていきたいですね。　　　　　　　　　　（原内　さやか）

Q3

「５分の１黒板」に同じ価値語を何度も書いてよいのでしょうか？

何度書いてもよいです。形成期・混乱期・標準期・達成期それぞれの時期で何度も出てきたり、時期を横断して使用したりします。

Q3　「５分の１黒板」に同じ価値語を何度も書いてよいのでしょうか？

Answer 3

　価値語は、何度書いてもよいと思います。「５分の１黒板」は、子どもたちにそうであってほしい行動や考え方を、その時に応じた価値語で示し、学び合う関係性を変容したり、ペアでの対話や全体での話し合いを豊かにしたりするために書くものです。その時に応じたその場の関係性や教師の目的が、達成できていたら消します。まだ定着していないと思ったら、違う機会に書くといった具合です。価値語を使って子どもたちが変容するように促すのが「５分の１黒板」に価値語を書く目的です。目の前の子どもたちにどうなってほしいのか、長期的な視野で取り組まなくてはいけないことか、短期的にできることなのかは、目の前の子どもたちの状況次第です。何度も書いた方がよい価値語もあると考えます。

≫ 同じ価値語を何度も使う場合：時期をずらす

　例えば、＜相手軸＞という価値語などは、41ページの図２でペア・グループ学習や自由な立ち歩きによる話し合い活動をさせるために＜相手軸＞という価値語を書くように掲載されています。これは、そのねら

いが子どもたちにお互いのことを尊重し合えるような関係性を形成することを目的としています。時期としては、40ページの図1「学級の成長4段階」の表の中の標準期に書くことが多い価値語です。この＜相手軸＞という価値語は形成期にも頻繁に登場します。4月当初などまだまだ、隣にいる子のことを知らない時期には頻出します。それは、教師の使用する目的が変化するからです。

　形成期の＜相手軸＞は、相手との関係性がどうあってほしいのか教師の考えや思いを子どもたちに知ってもらうために書くことが多いと思います。

　標準期の＜相手軸＞は、学級という1つの集団がまとまるために1人対1人の関係性から1人対全体を意識しての相手への意識を形成させるために用いることが多いです。

　このように、同じ価値語でも教師の意図することが違うと「5分の1黒板」に書く時期も自ずと違ってきますし、何度も出てくると考えます。

≫ 価値語を効果的に導入する

　ずっと同じ価値語を黒板に書く心境というのは、例えば、まだ教室の中でできていない子がいて、その子にできるようになってほしくて書き続けているケースがあります。30人学級で何人かができていないからまだ書いていた方がよいのか？と考えてのことなのでしょう。こんな場合は、消してしまいましょう。「5分の1黒板」へ書く価値語で100％〈学級全員〉の子どもをすぐに変容させると考えるのではなく、2：6：2の法則でも言えるように8割（もとからできる2割＋6割）か6割の子どもたちに変化が表れているようならよしとするのです。学級の雰囲気が変わってきているとあなたが思えたら消してしまってよいタイミングです。それよりも、価値語を「どのように学級の黒板に書くのか」、「どのタイミングで書くのか」の方がずっと重要です。ただ黒板に記入するだけでは、「5分の1黒板」のもつポテンシャルをすべて発揮できていることになりません。詳しくは、本著70ページからの菊池省三氏のパフォーマンス術に記述してあります。　　　　　　　　　（村上　功洋）

Q4

> 学習規律的な価値語ばかりになってしまいます。

> 学習規律を大切にしている証拠ではないでしょうか。なぜ大切なのか、学習規律の捉え方について考えてみましょう。

Q4　学習規律的な価値語ばかりになってしまいます。

Answer 4

　学習規律は、学び合いの土台として大切です。特に、形成期などでは、土台づくりのために着実に構築していきたいものです。（第3章参照）
　そこで、気をつけたいことが2つあります。

≫ 学習規律が目的化していないか

　主に形成期の初期で「5分の1黒板」に書いた学習規律的な価値語を、3学期になっても頻繁に使っている黒板。これは、学習規律の定着が目的になっている可能性があると考えられます。学習規律が守れる子どもたちを育てるのでしょうか、それともその先へと向かうのでしょうか。ゴールイメージを今一度確認してみる必要があるかもしれません。

≫ 教師の焦りによる偏った指導になっていないか

　学習規律の定着において、時間がかかることは往々にしてあります。また、混乱期には、定着が今までより難しく感じる場合があるかもしれません。そのとき、「学習規律が定着しない。なんとか定着させなければならない」という教師の焦りが大きいと、学習規律を指導することに

偏ってしまい、教室の空気が悪くなり、悪循環に陥るかもしれません。

　ここまでは、学習規律についての教師の捉え方において気をつけたいことを述べました。次に、子どもの学習規律の捉え方を確認することができる実践を紹介します。

　上の写真は、「学習規律」について子どもたちと考えた授業の板書です。時期は、2学期の初めです。授業の初めに「どのような学習規律があるのか？」を出し合いました。黒板には、これまで「5分の1黒板」を使って伝えてきた＜書いたら発表をセットにする＞＜やる気の姿勢＞といった価値語がたくさん並んでいます。その中には、＜一人を作らない＞＜学びやすい空気をつくる＞＜意見を認め合う＞など、友達と学び合う時に大切な心構えやマナーに関係する価値語も多く並んでいます。その後、「どうして学習規律が必要なのか？」について意見を出し合いました。すると、大きく2つの意見に分かれました。1つは、自分自身を成長させるためのものだということ、もう1つは、友達と学び合うための心構えだということでした。子どもたちは「5分の1黒板」に書かれる学習規律に関する価値語の意味を、自分の成長や学び合う関係性の土台として捉えていることが分かります。

　このように、学習規律の大切さを子どもと一緒に考えることで、子どもの捉え方を確認することもでき、よりよい学び合いに向かうことにつながると考えられます。

（冨浦　みさき）

Q5

「5分の1黒板」に書いた価値語を消さずに残しておきたいのですが、何かアイデアはありませんか？

残すことで、子どもたちは価値語の意味やめざす姿を大切にしようとします。残し方のアイデアも様々です！

Q5　「5分の1黒板」に書いた価値語を消さずに残しておきたいのですが、何かアイデアはありませんか？

Answer 5

「5分の1黒板」に価値語を書き続けることで、子どもたちは、価値語の意味や、価値語がめざす姿を大切にしようとします。また、言葉に対する興味や関心を高めることにもつながります。

　さらに、価値語を残しておくことでいつでもふり返ることができ、学習や生活の中で活用することができます。

　ここで価値語を残す2つの方法を紹介します。

≫「5分の1黒板」ノート

　1つめのアイデアとして「5分の1黒板」ノートがあります。1時間の授業や1日の中で書いた「5分の1黒板」の写真をノートに貼り、その横に授業の感想やこれからの目標などを書きます。そうすることで、一時的なものにとどまらず、日頃から意識していくことにつながります。さらに、ノートをふり返り、自分や学級の成長を見ることができます。

　11月に改めてこれまで書いてきた「5分の1黒板」ノートをふり返る時間を取りました。新学期の初日は、〈温かい拍手〉や〈切り替えスピー

ド〉などの今は書かなくても
意識できる価値語が多く並ん
でいました。
「懐かしいね」「成長したね」
「今ではこの価値語、当たり
前だね」
　などと友達と見せ合いなが
ら楽しそうに自分たちの成長

を実感していました。それだけにとどまらず、次の日に宿題の自主勉ノー
トにこれからの目標を書いてきた子どもが数名いました。このように、
成長を実感することで、さらに自信になり、目標に向かって努力する意
欲を引き出すことができます。
「5分の1黒板」ノートを続けていくと、価値語をつなげて考えるよう
になります。さらに、ノートを黒板として自分ならこのような授業をし
てみんなに伝えるといったことまで考えられるようになります。
　このようにして、チームとして同じ目標をめざして成長していること
で、価値語の植林、価値語への考えの深まりを促すことができます。

≫ 価値語モデル

「5分の1黒板」で示す価値語がめざす姿は授
業中や生活の中にあふれています。その姿を、
カメラで撮り、その写真に価値語を添えて、ポ
スターとして教室に掲示します。写真に自分が
写っていることを見て嬉しそうにする姿やクラ
スとしての成長を実感するきっかけとなり、温
かい空気感を広げることにもつながります。さ
らに、話し合いなどの学習活動や生活の中でふ
り返りに活用することもできます。

（林　大葵）

Q6

> 1学期に書いていた価値語を3学期になってもまだ書いています。

> 3学期に書いていてもいいです。しかし、子どもの成長によって、「5分の1黒板」に書く価値語が変わってきます。

Q6　1学期に書いていた価値語を3学期になってもまだ書いています。

Answer 6

「5分の1黒板」に書く価値語は、子どもが「学び合う」「つながり合う」ために書きます。教師の「教えやすさ」のためではなく、子どもたちの「学びやすさ」のために書くのです。ですから、「5分の1黒板」に書く価値語が3学期にも子どもたちの学びに必要なら、書いてもいいでしょう。しかし、子どもたちは日々成長します。その子どもたちによって、「5分の1黒板」に書く価値語は変わってきます。

≫ 1学期における「5分の1黒板」

　4月や5月の形成期は、主に学習規律的な価値語を書くことが多いです。＜正対する＞＜迫力姿勢＞＜切り替えスピード＞などは、秩序ある学習集団をつくっていくために必要です。それと同時に、学級での安心感を生み出すことも大事です。＜あたたかい拍手＞＜笑顔＞＜一人ひとりちがっていい＞などは、子どもたちに安心感を生む価値語です。

　私は、5月に「話をしている友だちに体を向けて話を聞く」という指導をし、「5分の1黒板」には＜正対する＞と書きました。授業で発表している

子がいたら、「5分の1黒板」を指さしながら、『正対して最後まで聞こうね』と声をかけます。さらに、自然に正対できている子がいれば『○○さん、さすがです。まさしく正対ですね』と価値付けます。このように1学期は、安心感のある学級の土台をつくる価値語を中心に植林していきます。

≫ 成長の段階によって書く価値語は進化する

　安心感のある学級の土台ができてくると、規律的・安心感を生む価値語から、＜自分からつながる＞＜引用＋質問＞などの対話の態度目標や技術に関する価値語が多くなります。（※詳しくは、第5章「5分の1黒板」を活用した授業実践にも書かれています。）これまでの授業や話し合い活動で示した価値語が布石となり、「5分の1黒板」に書く価値語が進化します。私が以前、5年生を担任していた時のことです。社会科の学習で「自然災害が発生しやすい国土に暮らす私たちが取り組んでいくこと」についての話し合いをしました。授業が終わっても休み時間に話し合う子の姿がありました。次の授業初めに＜考えることはエンドレス＞と書き、『休み時間にもさっきの話し合いの続きをしている子がいましたよね。貪欲に学ぼうとしていますよね。だから、また考えて、話し合いができるのですよね』と価値付けながらほめました。きっと、4月や5月の段階では＜考えることはエンドレス＞と示しても、誰もその姿をイメージできないと思います。価値語の植林を通しての子どもの成長があってこそ、また新たな価値語が生まれてくるのです。

≫ 3学期にも1学期に書いた価値語を書くとき

　先述したように、価値語は子どもの成長によって変わります。しかし、必要に応じて3学期にも1学期に書いていた価値語を書きます。私は、3学期でも「温かい拍手」と書いています。また、学校行事が重なり、子どもたちの気持ちが浮いたり、空気感が淀んだりする時には、＜着手スピード＞や＜切り替えスピード＞と書き、子どもたちの行動のテンポを上げて、教室の空気感を変えています。　　　　　（森下　竜太）

Q7

全ての授業で「５分の１黒板」を使わなければいけないのでしょうか？

「使わないといけない」ということでは、ありません。子どもたちにとって、必要だから「５分の１黒板」を活用するのです。

Q7 全ての授業で「５分の１黒板」を使わなければいけないのでしょうか？

Answer 7

　そもそもなぜ、「５分の１黒板」を活用するのでしょうか。それは、第２章でも述べたように、【子どもの学びやすさ】のためです。子どもたちの学びをより豊かにするのであれば、どの教科でも積極的に「５分の１黒板」を活用した方がいいですよね。私は、実践をしていく中で「５分の１黒板」に価値語を書くことで得られるメリットが多いことに気づきました。

≫「５分の１黒板」を活用するメリット

　私は、「５分の１黒板」を活用するメリットが４つあると考えます。

①子どもの学びやすさ（規律と安心感）

　私は、形成期にはだいたいどの授業でも＜やる気の姿勢＞を提示してきました。「５分の１黒板」に『や』と書くだけで、子どもたちからは「やる気の姿勢だよ」「みんな今日もいいね」と声がかかります。子どもたちからのその一言だけでも、机にもたれていた子もとりあえず体を起こします。その一言だけでも、学級としての学習に向かう空気感が変わります。そういう空気感が学びを豊かにさせます。

②価値語の植林となる

　価値語とは子どもたちの考え方や行動をプラスに導く言葉です。豊かな言葉を使うことで、より成長できます。今はまだ…と焦るのではなく、1年後には子どもたちが使う言葉が豊かになり、成長を実感できるようになればいいのです。そのためにも、日々の授業の中で、【事前】【事中】【事後】における価値語を示し、行動をプラスへと導いていきます。つまり授業一つをとっても、人間社会で生きていくために大切な価値を教え、育てていくことができるのです。

③白熱した話し合いに向かう学びとなる。

　菊池省三氏は、学級の成長の段階に合わせて対話・話し合いの授業を行い、その中で「5分の1黒板」に価値語を示して必要な考え方や学び方等を指導しています。「5分の1黒板」に書く価値語は、白熱した話し合いに向けてのステップになっています。つまり、「5分の1黒板」を有効に活用することで、対話・話し合いの授業で子どもたちが主体的に学び合うことを促すことができるのです。

④授業中の生徒指導となる。

　第2章に、「日々の授業の中で学級の土台づくりを行うことが大切であり、授業は最大の生徒指導」との趣旨の文があります。つまり、「授業づくり」＝「学級づくり」なのです。学級がよくなれば、子ども同士の関係性も豊かになり、集団としての力が高まります。授業で人を育てます。

≫「5分の1黒板」の活用にむけて

　教師が「価値ある言葉を教えたい」と言うのではなく、子どもの学びやすさとは何かを考えることが大事です。それに向けた価値語を示し、子どもの成長を促せるようにしたいです。子ども同士の関係性がよくなれば、自ずと話し合う力が高まります。授業を考えていく上で、子どものために価値語の提示の仕方、目的にあった価値語を書いていけるようにしましょう。

（森下　竜太）

Q8

「5分の1黒板」は、なぜ左端のスペースに書くのですか？ほかの場所に価値語を書いてはいけないのですか？

左端のスペースに書くと決まっているわけではありません。「5分の1黒板」を書く目的が明確であれば、ほかの場所に書いても効果を発揮します。

Q8　「5分の1黒板」は、なぜ左端のスペースに書くのですか？ほかの場所に価値語を書いてはいけないのですか？

Answer 8

①基本の位置	②主に対話・話し合いの態度・技術の指導	③主に縦書きで板書する時やまとめでの価値付け

図　「5分の1黒板」に価値語を書くスペース

「5分の1黒板」は、子どもたちに望ましい行動や考え方を価値語で示し、学び合う関係性や対話・話し合いを豊かにするものです。本著では、図の「①基本の位置」（黒板左端）を基本的に書いていますが、上に示した「5分の1黒板」の目的があれば、どの場所に価値語を書いても全く問題ありません。効果的に価値語を示すことが大切です。

　第5章「白熱した話し合い」の実践記録には、黒板の上部に価値語を書いています。菊池省三氏の板書を見ても、図の②や③に価値語が書かれていることもあります。（詳しくは『写真で見る　菊池学級の子どもたち「価値語」で人間を育てる』中村堂、2014年を参照）

≫ 図【②主に対話・話し合いの態度・技術の指導】

　対話・話し合いの授業では、議論の流れを見えやすくするために、ディベートのフローシートのような書き方をします。（下の写真参照）その際は、価値語を黒板上部や子どもたちの意見の隙間に書いて、対話・話し合いでの態度・技術の指導を行います。

　話し合いの指導は、即時指導が有効だと言われます。そこで、ポイントとなる発言や望ましい態度や行動を取り上げ、価値語を示しながらその意味や価値を伝えていきます。

　右の写真では、話し合い全体の流れを考えて発言する大切さについて**＜番を考える＞**という価値語を子どもの意見の隙間に書いて指導していることが分かります。

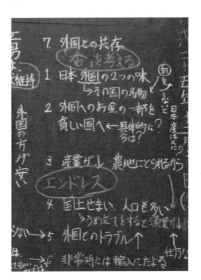

≫ 図【③主に縦書きで板書する時やまとめでの価値付け】

　国語科等で、縦書きで板書する時には、右端に価値語を書くことがあります。その際、価値語はあえて横書きにすることで、より価値語が強調されるでしょう。

　右端に書くもう1つのパターンは、授業のまとめに使うということです。例えば、話し合いの授業のあとに**＜考えることはエンドレス＞**と書き、

『答えのない問いに対して、みんなで意見を出し合いながら「本当にそうかな？」「こっちの意見の方がいいかも」と考え続けていきたいね』

　と価値付けしていきます。価値語を通して、授業をふり返ることができるだけではなく、次の授業への布石となってさらに効果を発揮します。

（堀井　悠平）

Q9

価値語には難しい言葉が多いですが、低学年でも実践できますか？

もちろんです。低学年でも、様々な工夫が可能です。難しい言葉は、発達段階に合わせた言葉に変えると、分かりやすくなります。

Q9　価値語には難しい言葉が多いですが、低学年でも実践できますか？

Answer 9

　低学年でも、もちろんできます。低学年だから難しいということはなく、目の前の子どもたちの発達段階に応じて、様々な工夫が可能です。子どもたちの学びやすさを保障するということにおいて、年齢は関係ありません。実際に、第5章の①、②、⑨は低学年の実践です。ほかにも、低学年の実践を紹介します。次の3つは、1年生での実践です。

》きらきら名人

「価値語モデル」（第5章参照）の1年生での実践です。「価値語モデル」は言葉が少し難しいため、「きらきら名人」と名づけて取り組みました。朝、黒板に掲示してあるのを見つけ、「あ！僕が写ってる」とランドセルを背負ったまま、しばらく写真を見つめる1年生の姿がありました。ひらがなを習得する前の段階でも、写真でよく分かるようです。写真の横に書いてある文字も、指でなぞったり、一文字ずつ

声に出したりして、進んで読もうとする子の姿が見られました。

≫ 5分の1よいところ黒板

「5分の1黒板」に、「子どものよいところ・名前・
はなまる」をセットで書きます。例えば、「やるき
のしせい・Aさん・はなまる」と書いて、Aさんの
よいところを取り上げます。名前を書かれたAさん
はにっこり、周りのみんなは拍手。教室が一瞬で温
かい雰囲気になります。1日の学校生活の中で全員
の名前を書けるように、写真やメモを残しておきま

す。そうすると、教師自身も「この時間はBさんのよいところを探そう」
という視点をもつことができます。

≫ ほめ言葉のシャワー

　絵本『ええところ』(くすのきしげのり作)を読み、自分や友達のよ
いところについて考える授業をしました。自分なりに言葉を考えたり、
「きらきら名人」や「5分の1よいところ黒板」に登場する言葉を使っ
たりして、お互いのよいところをカードに書き、伝え合う活動をしまし
た。この翌日から「ほめ言葉のシャワー」の実践に取り組みました。ま
ず、毎日一人、主人公を決めます。そして、主人公のよいところを見つ
け、シャワーをかけるようにみんなで伝えていきます。全員一回ずつ主
人公になり、それが一巡したところで、「ほめ言葉のシャワー」はどん
ないいことがあるか、みんなで考えました。子どもたちから、「ほめ言
葉で、みんなが嬉しい」「にこにこ笑顔になる」「心があったまる」「思
いやる力がつく」などの意見が出てきました。子どもたちが、教室の中
で温かさを感じていることが分かりました。この温かさが、学び合う関
係性をつくるための土台になると考えられます。安心感のある学級の土
台をつくることが、心理的安全性の構築へつながっていくと考えられま
す。(第3章参照)　　　　　　　　　　　　　　　　　(冨浦　みさき)

175

Q10

教科担任制でも「5分の1黒板」は活用できますか？

もちろんできます。教科担任の先生がそれぞれ子どもたちとの関係性を築くためにも、ぜひ活用してほしいのが「5分の1黒板」です。

Q10　教科担任制でも「5分の1黒板」は活用できますか？

Answer10

　小学校や中学校の教科担任制でも「5分の1黒板」を使った価値語指導は、とても有効だと思います。先生が子どもたちとよりよい関係性を築くために「5分の1黒板」を使ってみましょう。その時の教室の雰囲気を変えたり、子どもたちの行動や意識をよりよいものへと変えたりできます。また、菊池省三氏が各地の小学校や中学校での飛込授業で使われていることからも分かるように、どの段階の子どもたちにも対応できると思います。

　では、「5分の1黒板」の価値語はいつ、どのように書くのか具体的に見ていきましょう。

≫ 空気感を変える　教師⇔子ども

　例えば、理科の授業では、予想を立てることがとても大切ですよね。しかし、子どもたちに『予想してみよう』と言っても、すぐに書き始められる子とそうでない子に分かれませんか。書けない子は何を書いてよいのか分からず、どう考えてよいのか、もし思いついたとしても本当にこんなのでよいのだろうか？と悩んでいるケースがよくあります。そのような時が「5分の1黒板」の活用ポイントです。

　例えば、『みんなこれ読めますか？』と語りかけながら「5分の1黒板に漢字で「予想」と書きます。『そうだね。これは「よそう」と読みます』と言いながら＜よそうはうそよ＞とその下に書いて、『じゃあ、みんなで読んでみよう』と笑顔で語りかけます。すると、子どもたちは口々に読みながら少し驚いたり、小さな声で笑ったりと反応を見せてくれます。今まで書けずに困ったような顔をしていた子もその時は、前を向いて聞き入っています。『よそうは、後ろから読むと「うそよ」と読めますね。うそでいいんです。大胆に書きましょう。こうなるのかなあ。もし間違えたらはずかしいな。と、思ったとしても、元々うそなんだからいいんです』すると、急に教室の中が活発な空気で満ちていきます。楽しそうな雰囲気へと変化していきます。この授業では誰もが自分の予想を立てられることを目標としています。そのための第一歩が＜よそうはうそよ＞という価値語でスタートします。まずは、教師と子どもたちとの意識をすり合わせ、縦の糸をしっかりと結ぶために「5分の1黒板」を活用しましょう。次は、子どもたち同士の関係性をよくする（発表しやすくなる）ために、別の価値語を活用していきましょう。

「5分の1黒板」は、子どもたちにそうであってほしい行動や考え方を、そのときに応じた価値語で示し、学び合う関係性を変容したりペアでの対話や全体での話し合いを豊かにしたりするために教科担任制でも十分に活用できると考えます。

≫ 先生間の教育観を共有できる

　例えば、＜よそうはうそよ＞＜相手軸＞という価値語を教室の黒板に残して教室を離れると、それを見たほかの教師から『あれは何ですか？』と聞かれることがあります。そんな時、価値語の説明をすることで自分の教育観をその教師と共有できます。これは副産物的なメリットといっていいでしょう。めざすべき子ども像がお互いに分かり合える効果は大きいと思います。

（村上　功洋）

第 **7** 章

「5分の1黒板」に
書く価値語辞典

どんな価値語があるの？
どんな意味なの？
どうやって使うの？

これを見ると丸分かり！
菊池学級の
「5分の1黒板」への第一歩！

○授業観・教育観
○子どもの変容（成長）
○価値付け・フォロー　　など！
　　　【価値語】
　　　　① 価値語の意味　　② 使う時　　③ ポイント

1. 自分の考えをもつ

【一人ひとり違っていい】

①「違い＝自分らしさ」と捉え、子どもたち一人ひとりの個性を認めていくこと。

②形成期の初期の段階から、安心感のある空気をつくって活動させたい時に使う。

③「５分の１黒板」に示したことと、実際の指導が一致しているかを気をつける。教師の指導観が表れる価値語である。⇒第5章「自分の考えをもつ」①の実践記録参照

【自分らしさの発揮】

①一人ひとりがもっている個性を発揮している姿のこと。

②一人ひとりが多様な考えを出し合う場面や個性を発揮している場面を見つけた時に活用する。

③子どもたちのありのままの事実を受け止められる教師のフォローが大切である。⇒第5章「自分の考えをもつ」①の実践記録参照

【教室は学び合うところ】

①教室は、考えを共有したり、話し合いを行ったりする場所であり、学級のみんなで学び合い高まっていこうとすること。

②自分の考えをペアで話す時や全体で共有する時に使う。

③繰り返し伝えることで、温かい雰囲気をつくっていきたい。自分の意見がもてていない子どもに対し『教室は学び合うところなんですよね。人の考えを聞いて真似をするのも学び合いですよね』などとフォローする時にも使える。

【書くことは考えること】

①自分の考えを「見える化」してアウトプットすることで、さらに考えが深まっていくこと。

②量を書かせたい時や自分の意見をもたせたい時に使う。

③書き続けている子どもを取り上げ、『書くことは考えることですよね』と言いながら価値付けていく。また、１つ書いて止まっている子どもに適度な負荷をかける時に使うこともある。

【あてずっぽう＝考える力】

①見通しが立たないものに対して

も、予想を立てて考えることが大切だということ。

②正解のない問いなどを提示した時に、自分の言葉で考えを発表させたい時に使う。

③あてずっぽうで手を挙げて答えた子に対して、『今、自信はないけど、あてずっぽうで答えたんだよね。先のことを見通す力って考える力なんですよ。あてずっぽう＝考えるということです』と価値付けるとよい。

【質より量を出す】

①質を求めるよりも、まずは量をたくさん出すように促すこと。

②自分の考えを箇条書きする場面やグループ学習で数を出し合う活動を行う時に使う。

③白熱した話し合いに向かっていくために、量が出せるようにしておきたい。繰り返し「5分の1黒板」に書くことで、子どもたちに量を書く習慣を身につけさせていきたい。⇒第5章「自分の考えをもつ」2の実践記録参照

【箇条書きする】

①箇条書きで意見を整理し、たく

さん書き出すこと。

②話し合いの前に、自分の考えをもつ場面で使う。

③箇条書きするときには、＜一文一義で書く＞＜ズバリと書く＞といった価値語も活用して短文で書くことを意識させる。どの教科でも取り入れて、日常的に使うことができる。低学年でも実践しやすい価値語である。量にこだわってするとよい。

【息をするように書く】

①歩くように、息をするように、抵抗感なく自然に自分の意見や文章を書くこと。

②自分の考えをもつ場面で、安心してたくさんの考えを書かせたいときに使う。

③書くことが苦手でも、慣れれば自然とできるようになる。書く活動を重視し、息を吸うように、当たり前に書ける状態をめざしていく。

【書いたら発表をセットにする】

①自分の意見や感想を自ら発言することができるようにすること。

②自分の考えをノートに書かせたあと、意見や感想を発表する場面で使う。

③まずは、ノートに書いたことを読むことからスタートすると取り組みやすくなる。また、列指名や班指名を使って発表する機会を保障し、約束を守れたことを価値付けながらほめるとよい。

【「3つあります」で書く】

> 考えたことが3つあります。
> 1つめは〜です。（詳しい説明）
> 2つめは〜です。（詳しい説明）
> 3つめは〜です。（詳しい説明）

①ナンバリングを使って自分の意見を整理しながら書くこと。また、意見を3つ出すことで考え続けることを促すこともできる。

②自分の考えを書く時に使う。

③型を提示することで、書くことが苦手な子どもも安心して書けるようになってくる。また、書くだけではなく、話す時にもこの型を使うとよい。

【出る声を出す声に】

①その場にふさわしい声の大きさを意識的に出して話すこと。

②場に応じた声の大きさを考えさせたい時に使う。

③『出る声ではなく、出す声でどうぞ』と言ってから発表させると、声に意識を向けて発表できるようになる。

【ノートは思考の作戦基地】

①ノートに自分の考えを書くことで、考えを発信したり、自分の考えに立ち返ったりする基地になるということ。

②話し合う前にしっかりと考えをもたせたい時に使う。

③教師の板書を写すだけのノートではなく、自分や友達の考え、思考の流れを書くようにノート指導をしていきたい。

【一人が美しい】

①自分の考えをもち、一人でも芯をもって行動できること。

②少数派になっても、自分の考えをもち、しっかりと話し合いをしている姿を見つけ、全体に広げていきたい時。

③周りに流されず、自分の意見を大切にしている子どもを取り上げ、このような姿を学級全体へ広げていきたい。

【鉛筆の先から煙が出るくらいの速さで書く】（有田和正氏の言葉）

①スピードを意識することで、たくさん書けるようにすること。

②限られた時間の中で速くたくさんの考えを書かせたい時に使う。

③『煙が出てきたよ』『手が黒くなったね』などの言葉かけで子どものやる気を引き出す。

【よそうはうそよ】

①ユーモアを交え、安心して自分の意見をもてるようにすること。

②正解にこだわる雰囲気を変えたい時に使う。

③「よそう」とひらがなで書き、右から読ませることで、「よそうはうそよ」となっていることに気づかせ、場の空気を温める。

【根拠のある意見をつくる】

①根拠をはっきりと示すことで、説得力のある意見をつくること。

②話し合い前の自分の考えをもた

せたい時に使う。

③資料やデータから引用する経験を多く積むことで、根拠のある意見をもつことができるようになる。

【強い意見＝事実（根拠）×意見（重要性と深刻性）】

①明確な根拠を示すとともに、自分の意見をはっきりともつ。事実と意見をかけ合わせると強い意見となるということ。

②話し合いに入る前の、自分の考えをもたせる時に伝える。また、子どもたちの発言を取り上げて価値付けるときに使う。

③同じ事実を取り上げていたとしても、意見には一人ひとりの違いが表れる。教師は、根拠から導き出したその子らしい意見を大切にしていきたい。

（原内　さやか）

2．ペア・グループ学習

【学び合い＝寄り添い合い】

①友達と一緒に学び合うことで、友達の成長を自分の成長と同じように喜び、共に成長していくこと。

②友達と同じ目線に立って学び合う姿が見られた時。

③②のような姿が見られた時に『教室はみんなで学び合うところだよね』などと価値付け、教室に学び合う関係性を築いていく。⇒菊池省三・本間正人・菊池道場『価値語100ハンドブック』中村堂、2016年、170ページを参照

【違いを楽しむ】

①自分の考えが友達と違うことで、新たな気づきや発見が生まれ、自分の考えをさらに広げられる楽しさがあるということ。

②対話・話し合いの活動に入る前に、意見の多様性を認め合える空気感をつくるために伝える。

③いろいろな意見があるからこそ、話し合いが楽しいと思えるようにする価値語である。また、なかなか意見が言えない子に安心感を与える価値語でもある。

【対話力＝話すこと×聞くこと】

①これは加留部貴行氏が提唱した公式である。話す力だけでも、聞く力だけでもなく、話す力と聞く力の両方が大切であるということ。対話力の最大値は$5 \times 5 = 25$となる。

②対話・話し合いを始める前の心構えとして伝える。

③下の写真のように黒板に書いて示すと、より伝わりやすくなる。

【コミュニケーションの公式】

> コミュニケーション力
> ＝（内容＋声＋態度）×思いやり

①友達と関わる時は、内容・声・態度が大切である。態度は、姿勢や視線、身ぶり手ぶりなどの非言語の部分をさしている。コミュニケーションは、思いやりをもつことで、より豊かな話し合いができるということ。

②形成期での対話・話し合いや発表の場面において、話し方の型

として示す。

③子どもたちと各項目についての具体的な姿を考えることで、より相手を意識して話すことができるようになる。

【学び合うのがチームだ】

①1人で学ぶのではなく、チームとしてみんなで学ぶということ。

②学び合うための温かい空気感をつくるために、話し合い活動に入る前に伝える。

③拍手や笑顔などの非言語と合わせて伝えることで、よりチームとしての一体感を生み出すことができる。⇒第5章「ペア・グループ学習」④の実践記録参照

【正対する】

①「話す時は、相手に体を向けて話す」「聞く時は、相手に体を向けて聞く」というようにお互いが真剣に向き合って話し合うということ。

②話す時や聞く時、話し合いなどの多様な場面において、学び合うための姿勢を伝える。形成期の学習規律を整える時に使うこ

とが多い。

③「パッと向き合う」「おへそを向ける」「目・耳・心」などと学年に合わせて、言い方を変えて伝えることで、より子どもたちに合った価値語となる。⇒第5章「ペア・グループ学習」③の実践記録参照

【聞くことと質問・感想はセット】

①友達の意見を聞く時に、聞きっぱなしで終わるのではなく、質問や感想を伝えることが大切だということ。そうすることで、思いやりのある聞き方ができるようになる。

②発表やスピーチ、話し合いの前に聞き手の心構えとして伝える。

③日々繰り返し伝えることで、考える習慣が身につき、白熱した話し合いへと向かうことができる。

【目線・うなずき・あいづち】

①話を聞く時には、内容だけを聞くのではなく、目線、うなずきやあいづちなどの非言語も大切にしながら全身で聞くということ。

②意見発表や対話的な活動をする
　前に伝える。
③できている子を取り上げ、価値
　付けることで、学級全体におい
　て相手軸で話したり聞いたりす
　る温かい空気感をつくることが
　できる価値語である。⇒第5章
　「ペア・グループ学習」③の実
　践記録参照

【リアクションを入れる】

①「いいねいいね」や「おお〜!!」
　など、相手の話に合わせて反応
　すること。
②ペア・グループ学習で話し始め
　る前に、話し合いをよりよくす
　るための指標として示す。
③友達の話にリアクションしてい
　る子を取り上げ、価値付けるこ
　とで、明るく楽しい雰囲気が広
　がるようにする。

【身ぶり手ぶりを入れる】

①話す時に身ぶり手ぶりを入れる
　ことは、自分らしさの発揮である。
　身ぶり手ぶりを入れて話すこと
　で表現力を高め、相手により伝
　わるように話そうとすること。
②話し合いのあとに、相手に自分

の言いたいことを伝えようとし
て身ぶり手ぶりをしていた子を
価値付けるときに伝える。
③自分らしさを表現しようとしてい
　る姿を価値付け、子どもたちが
　安心して自己開示できるようにす
　る。時には、話し合いの途中でも
　一旦活動を止め、できている子
　を取り上げて価値付けるのも効
　果的。⇒第5章「ペア・グルー
　プ学習」③の実践記録参照

【腰を上げる】

①友達と学びを深めるために、い
　すから腰を上げてすすんで話し
　合いに参加しようとすること。
②ペアやグループでの話し合い
　で、身を乗り出して前向きに学
　ぼうとしている子が出た時。
③正しい姿勢だけがよいのではな
　く、白熱しているからこそ出て
　くる前向きな姿勢も価値付けた
　い。⇒第5章「ペア・グループ
　学習」④の実践記録参照

【笑顔】

①温かい空気感で話し合いをするには笑顔が欠かせない。笑顔を意識して対話・話し合いをすることが大切だということ。

②温かい空気感で話し合いを始めたい時。

③下の写真のように、イラストを描いて示すと、自然と笑顔があふれ出してくる。⇒第5章「ペア・グループ学習」③の実践記録参照

【拍手の3拍子】

①上手な拍手のポイントは「強く」「細かく」「元気よく」の3つである。この3つを意識することで、メリハリのある拍手をすることができるということ。

②拍手で空気を温め、話し合いにテンポを生み出したい時に伝える。

③拍手が活発に行われている学級の雰囲気は、とても明るく温かい。教室の雰囲気づくりに拍手は欠かせないものである。

【真似る＝学ぶ】

①友達の考えや活動する姿を真似することも学びだということ。

②自分の考えをもてず、話し合いの前に不安そうにしている子がいた時。

③友達のよい考えや行動を真似してもよいと伝えることで、不安な子も自信をもつことができるようになる価値語である。

【切り替えスピード】

①速いスピードで切り替えることで、活動に勢いを出すこと。

②ペア・グループ学習の始めや終わりなど、活動の切れ目で伝える。

③少しでも速い子を取り上げて「速いっ!!」と価値付けることで、学級全体がより速く切り替えられるようになる。

（佐藤　みなみ）（大西　志帆）

3．自由な立ち歩きによる話し合い

【一人をつくらない】

①自由に立ち歩いて話し合いをする際に一人になっている友達をつくらないようにすること。

②自由な立ち歩きによる話し合いを始める前に心構えとして示す。

③全員が話し合いに参加する土台となるため、新学期から繰り返し伝え、クラス全体で意識できるようにする。

【男女関係なく】

①男子だけ、女子だけで集まって話し合うのではなく、男女の壁を越えて、学びを深めていくこと。

②自由な立ち歩きによる話し合いを始める前に心構えとして示す。意義を考える時間を取るのもよい。

③「男女関係なく」が意識できていないときは話し合いを途中で止め、「なぜ、止めたか分かる？」と聞き、確認することも効果的。

【群れでなく集団に】

①自由な立ち歩きの際に、仲がよい子とだけ集まるのではなく普段の関係を超えてクラス全体で学び合おうとすること。

②自由な立ち歩きによる話し合いを始める前に心構えとして示す。意義を考える時間を取るのもよい。特に新学期によく使う。

③普段の友達関係の枠を超えて対話を始める子どもを見逃さず価値付けることでクラス全体に広げていく。

【自分からつながる】

①対話をする際に友達が来てくれるのを待つのではなく、自分から動き、学びを広げようとすること。

②自由な立ち歩きを始める前に伝える。また、全体の動きが固いときに伝える。

③自分から動き、声をかけて対話をしていくことに抵抗感がある子どもに対しては「○○さんがペアを探しているから話しておいで」などと声をかけ、子ども同士をつなげる。

【新たな気づき発見を楽しむ】

①友達と意見を伝え合うことで新たな気づきや発見をするという

目的を意識した上で、話し合いを楽しむこと。

②自由な立ち歩きによる話し合いを始める前に、話し合う目的の確認として示す。

③新たな気づきや発見を話し合う目的としてはっきりと示すことで様々な価値語とつなぎ、必要性を引き出すことができる。
⇒＜しゃべる→質問する→説明する＞＜連続質問＞など

【きくこよね（聞く子よね）】

①質問の型。

き　きっかけ

く　くろう

こ　こつ

よ　よろこび

ね　ねがい

②質問の楽しさを体験する活動や新学期の自己紹介などの際に質問する内容の例として示すことができる。

③掲示板などに残しておくことで、自由な立ち歩きだけではなく普段の学習の中で活用できる。また、どのような質問をすれば相手のことをより理解できるかを意識するきっかけにもなる。

【違いを認め合う】

①正解、不正解だけで判断するのではなく、友達との意見の違いを認め合うこと

②○か×かなど立場を決めて話し合う際に伝える。違いを認め合うことでより考えを広げることができることを伝える。

③繰り返し伝えることにより、意見の違いに対して興味を示し、質問や反論していく意欲が高まってくる。

【3＋3＝6↗　の話し合い】

①意見をもち寄り、伝えるだけではなく、意見をつなげて新たな意見をつくり出していくこと。

②特に、立場を決める話し合いやたくさんのアイデアを出す話し合いの際に、心構えとして示す。

③意見を増やしていくために「しゃべる→質問する→説明する」など対話の技術とつなげることで話し合う目的に向かうことができる。
⇒第5章「自由な立ち歩きによる話し合い」 6 の実践記録参照

【しゃべる→質問する→説明する】

①話し合いの型の一つ。お互いの

意見を伝えたあと、その意見に対して質問し、その質問に対して答え、説明し、意見を深めていくこと。対話に向かうために必要な技術。

②一方的な伝達ではなく、双方向の対話ができるように導きたいとき。

③＜連続質問＞などにも関連させることで、効果的に示すことができる。

【連続質問】

①質問に対しての説明の内容が広がったり、深まったりするために質問を繰り返しすること。

②友達と理由の交流をするときなどに意見をさらに深めていくための対話技術として示す。

③ディベート的な話し合いでの、同じ立場同士の話し合いの際には意見をより強くしていくために活用できる。違う立場同士での話し合いでは、お互いの意見をより理解し、かみ合った話し合いに向かうために活用できる。

【引用＋質問・反論】

①質問や反論をする際には、相手の意見を引用してどの意見に対する質問・反論かを明確にすること。例「～と言っていましたが、～ということですか？」

②「しゃべる→質問する→説明する」や「連続質問」を示した際に、具体的な質問・反論の伝え方として提示する。

③引用することを意識し始めると、聞く姿勢が変わり、正対することやメモすることを大切にするようになる。

【相手軸に立って話し合おう】

①聞き手として、笑顔やうなずき、あいづちを大切にし、話し手が安心して話せるように心がけて話し合うこと

②自由な立ち歩きによる話し合いを始める前に、話し合いをよりよくするための指標として示す。

③聞き手だけではなく、話し手も聞き手が分かりやすいように発言の工夫をしたり、身ぶり手ぶりなどの非言語を大切にしたりすることをつなげて示すことでより効果が高まる。

【傾聴力】

①友達の意見にしっかりと耳を傾け、友達の伝えたいことを相手軸に立って理解すること。

②話し合いを始める際に、よい聞き方として伝える。また、友達の思いを踏まえて意見を聞いている子どもを価値付ける際に使う。

③傾聴する意識があることで、自然とうなずきやあいづちが出始め、温かい空気感の中で話し合いが進んでいくことにつながる。

【一人で練り直す】

①話し合いの途中に、友達との意見交換の中で気づいたことをまとめたり、資料を再度確認したりするために一度席にもどり自分の意見を練り直すこと。

②自由な立ち歩きで友達と意見を

交換することを通して、再度自分の意見を見直そうとする姿が出た時。

③自由な立ち歩きをする中で、友達との意見交換だけに目を向けるのではなく、一人で考えを深めている姿にも目を向け、白熱した話し合いの土台をつくる。

【学びの価値は過程にある】

①話し合いにおける学びの価値の大きさは意見の数や強さにあるのではなく、友達と対話（質問・反論）する中での意見の深まりや白熱した話し合いに向かう姿勢にあるということ。

②学級全体で話し合いを充実させようとする一人ひとりの動きを価値付ける時。もしくは、意見の数や強さだけにこだわりをもちすぎている雰囲気がある時。

③話し合いを通しての内容の深まりだけにこだわらず、集団としての学び合う関係性に目を向けたり、個の変容に着目したりすることの大切さを教師自身も確認することができる価値語である。

（林　大葵）

4．白熱した話し合い

【人と意見を区別する】

①人と意見は別だと考えて、人格に攻撃するのではなく意見と意見をぶつけ合って互いの意見を成長させ合うこと。

②○か×か、賛成か反対といった意見が対立する話し合いの授業では、話し合う前に伝える。また、話し合いがヒートアップし過ぎた時に伝える。

③『反論されたあとに、笑顔で握手ができる人になろう』などと言葉かけをしながら、反論し合っても大丈夫だという関係性を築くことが大切である。

【出席者ではなく参加者になろう】

①その場にいるだけの出席者ではなく、自分から意見を言って積極的に話し合いに参加すること。

②授業の始めや、対話・話し合いの活動に入る前に参加者意識を高めてほしい場面で使う。

③事なかれ主義を卒業して、自分の考えを主張できるようにすることは、白熱した話し合いに向かう基礎となる心構えである。

【正＋反＝合（Win-Win-Win）】

①意見を対立させるのではなく、意見（正）に対して反論（反）することで新しい気づき・発見や納得した考え（合）をつくろうとすること。

②対話・話し合いのめざすべきゴールを表しているため、１学期の対話・話し合いの授業の時から繰り返し伝える。

③「合」をつくっていくことは難しい。しかし、対話・話し合いの授業の中で繰り返し伝えることで、その意味が実感を伴った理解に変わっていく。

【理由や根拠を比べ合う】

①同じ立場でも理由や根拠は違う。相手の主張の基になる理由や根拠を比べ合いながら聞くようにすること。

②話し合い活動に入る前に伝え、目的をもって聞くことができるようにする。

③ディベート的な話し合いでは価値判断の質が問われる。その判断材料は理由や根拠を基にした意見であることからも、白熱した話し合いに必要な聞き方である。

【意見を「見える化」する】

①自分の主張をホワイトボード、黒板、プレゼンソフトに「見える化」して、相手に分かりやすく伝えること。

②白熱した話し合いに入る前の自分の考えをもつ場面で子どもたちに伝える。

③白熱した話し合いにするためには意見の「見える化」は欠かせない。黒板を子どもたちに開放し、ミニホワイトボードを貼ったり黒板に書き込みをしたりすることができるようにする。

【番を考える】

①話し合い全体を見て、今は何を言うべきかを考えること。また立場を分けての話し合いでは、今どちらが話すターンなのかを考えること。

②全体の話し合いの中で、番を考えて発言した子を取り上げてほめるとよい。主に【事中】に伝えることが多い。

③どちらの番（ターン）なのかを図式化すると子どもたちは理解しやすい。⇒第5章「白熱した話し合い」⑦の実践記録参照

【ターンアラウンド】

①相手の主張の不十分さをつき、逆に自分たちの主張につなげること。

②ディベートでは試合後の教師の講評で伝える。また、討論では相手の不十分さをうまく自分の主張につなげた子を取り上げる。

③議論の流れが分かるように横書きの板書にしておくと、ターンアラウンドの意味を分かりやすく説明することができる。⇒菊池省三・菊池道場『写真で見る菊池学級の子どもたち「価値語」で人間を育てる』中村堂、2014年、28ページを参照

【反論で意見を成長させよう】

①相手の主張に反論する目的は、否定することではなく、お互いの意見を成長させ合うためにするものだということ。

②反論に入る前に伝える。また、明らかに否定することが目的になっている子がいた場合に、反論の目的を確認する。

③先に示した【人と意見を区別する】や【正＋反＝合（Win-Win-Win）】と関連づけると効果的。

【三角ロジック】

①根拠（データと理由づけ）を明確にした結論から主張が成り立っているという議論の構造のこと。

②ディベート的な話し合いの前の自分の考えをもつ場面で伝える。繰り返し伝えることで、議論の仕組みが理解できるようになる。

③「結論→データ→理由」の構造を図式化して具体例を挙げながら説明するとよい。三角ロジックが身につくとよりかみ合った話し合いになる。⇒菊池省三・菊池道場『個の確立した集団を育てる 学級ディベート』中村堂、2018年の18ページにある図参照

【反駁の4拍子】

①反駁とは相手の主張の不十分さを指摘して、自分の主張を正当化すること。その基本的なスピーチの仕方で「引用→否定→理由→結論」の流れで反駁する。

②ディベートを指導する時や全体の話し合いで反論させる前に伝える。

③「5分の1黒板」に書いたあと、

ポスターにして教室に掲示することで何度も確認ができ、少しずつ型が身についていく。

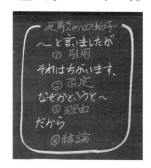

【潔さ】【納得したら潔く変わる】

①理由が明らかに崩されていたら、自分の意見に固執するのではなく潔く立場を変えるということ。

②主に対話・話し合いの授業で根拠や理由が崩されているのに立場を変えない子がいた時に伝える。

③『変わるということは、それだけ考えたということだね』『俯瞰して自分の考えが見えているね』といったフォロー語を添えながら価値付ける。⇒第5章「白熱した話し合い」7の実践記録参照

【話し合いは準備が8割】

①どうにかなるだろうと安易な気

持ちで話し合いに参加するのではなく、事前に十分な準備をして話し合いに参加できるようにすること。

②話し合いの準備をする前や、明らかに準備が不十分だと言える場合にアドバイスする。

③かみ合った話し合いにするためにも、自分の主張に対する反論を予想して対策を練ったり、意見の「見える化」をしたりするように伝える。

【個人の白熱】【内側の白熱】

①自分の考えを批判的に見たり、新たな考えを発見したりするなど個人で白熱し考え続けること。

②主に対話・話し合いの授業のあとの個人のふり返りの時に伝える。

③ディベートや白熱した話し合いで身につけた力が個人の白熱につながっている。ゴールイメージの１つとしてもっておくことが大切。

【友達のものの見方や考え方を楽しむ】

①対話・話し合いの醍醐味は、人

の様々なものの見方や考え方に触れ、自分の中に新しい気づきや発見が生まれることである。それらを楽しむような話し合いにするということ。

②話し合いに入る前や、話し合いの途中に伝える。

③一人ひとりの違いを生かすような授業展開の工夫や、教師の言葉かけも大切である。このような学びを楽しむことができるということは、子どもたちの関係性が豊かである証拠である。

【考えることはエンドレス】

①相手の意見にすぐに納得せず、意見を考え続けることが大切であるということ。

②深く考えず、すぐに意見を変えようとする子がいたときに伝える。また、話し合いの授業のあとに価値付けると効果的。

③『自分や友達の意見に「なぜ？」と問い続けましょう』『考えることに終わりはありません。それを楽しめる強い学び手になろう』といった言葉かけをして、考え続けるよさを価値付ける。

（堀井　悠平）

【引用・参考文献】一覧

【第2章　引用・参考文献】

■石井英真『未来の学校 ポスト・コロナの公教育のリデザイン』日本標準、2020年

■岡本明人『授業ディベート入門』明治図書、1992年

■落合幸子、築地久子『1 教育実践の全体像を描く 築地久子の授業と学級づくり』明治図書、1994年

■落合幸子、築地久子『2 築地久子の授業と学級づくり 自立した子を育てる年間指導』明治図書、1994年

■菊池省三『挑む 私が問うこれからの教育観』中村堂、2015年

■菊池省三『菊池省三の学級づくり方程式』小学館、2016年

■菊池道場・菊池道場『1年間を見通した 白熱する教室のつくり方』中村堂、2016年

■菊池省三・菊池道場『小学校4・5・6年 アクティブ・ラーニングの土壌を育む 菊池流学級づくり』喜楽研、2017年

■菊池省三『白熱する教室をつくるQ&A55』中村堂、2017年

■菊池省三・菊池道場『白熱する教室第25号』中村堂、2021年

■菊池省三・菊池道場『子どもたちが生き生きと輝く 対話・話し合いの授業づくり』中村堂、2021年

■菊池省三『一人も見捨てない！菊池学級12か月の言葉かけ コミュニケーション力を育てる指導ステップ』小学館、2021年

■田村学『深い学び』東洋館出版社、2018年

■築地久子『生きる力をつける授業 カルテは教師の授業を変える』黎明書房、1991年

■奈須正裕『資質・能力と学びのメカニズム』東洋館出版、2017年

■深澤久『鍛え・育てる〜教師よ！「哲学」を持て』日本標準、2009年

■藤岡信勝他『教室ディベートへの挑戦』学事出版、1995年

■溝上慎一『アクティブラーニングと教授学習パラダイムの転換』東信堂、2014年

■向山洋一『教え方のプロ・向山洋一全集47発問一つで始まる指名なし討論』明治図書、2003年

■向山洋一教育実践原理原則研究会『向山洋一教育実践原理原則シリーズ12だれでもできる指名なし討論の授業』明治図書、1999年

【第3章　引用・参考文献】

■石井遼介『心理的安全性のつくり方「心理的柔軟性」が困難を乗り越えるチームに変える』日本能率協会マネジメントセンター、2020年

■石川晋『対話がクラスにあふれる！国語授業言語活動アイデア42』明治図書、2012年

■エイミー・C・エモンドソン『恐れない組織「心理的安全性」が学習・イノベーション・成長をもたらす』英治出版、2021年

■大木浩士『博報堂流 対話型授業のつくり方』東洋館出版、2020年

■菊池省三『話し合い活動を必ず成功させるファシリテーションのワザ』学事出版、2011年

■菊池省三・菊池道場『コミュニケーション力あふれる「菊池学級」のつくり方』中村堂、2014年

■菊池省三・菊池道場『写真で見る 菊池学級の子どもたち「価値語」で人間を育てる』中村堂、2014年

■菊池省三『挑む 私が問うこれからの教育観』中村堂、2015年

■菊池省三・堀井悠平・乾孝治・渡瀬将基・牧野真雄『一人も見捨てない教育の実現挑戦！四国四県からの発信！』中村堂、2015年

■菊池省三・関原美和子『菊池省三の学級づくり方程式』小学館、2016年

■菊池省三他『授業力＆学級経営力2018年4月』明治図書、2018年

■菊池省三『一人も見捨てない！菊池学級12か月の言葉かけ コミュニケーション力を育てる指導ステップ』小学館、2021年

■菊池省三他『社会を生きぬく力は小学校1時間の授業にあった』中村堂、2021年

■齋藤秀樹『Good Team 成果を出し続けるチームの創り方』日経BP、2020年

■杉渕鐵良『子どもが授業に集中する魔法のワザ！』学陽書房、2011年

■多田孝志『対話型授業の理論と実践 深い思考を生起させる12の要件』教育出版、

2018年

■中野民夫『学び合う場のつくり方 本当の学びへのファシリテーション』岩波書店、2017年

■長尾彰『宇宙兄弟 今いる仲間でうまくいく チームの話』学研プラス、2019年

■ピョートル・フェリクス・グジバシ『世界最高のチーム グーグル流「最小の人数」で「最大の効果」を生み出す方法』朝日新聞出版、2018年

【第4章 引用・参考文献】

■大西忠治『授業つくり上達法』民衆社、1987年

■上條晴夫『実践 教師のためのパフォーマンス術 学ぶ意欲を引き出す考え方とスキル』金子書房、2011年

■菊池省三『授業がうまい教師のすごコミュニケーション術』学陽書房、2011年

■菊池省三・菊池道場『写真で見る 菊池学級の子どもたち「価値語」で人間を育てる』中村堂、2014年

■菊池省三・菊池道場『1時間の授業で子どもを育てる コミュニケーション術100』中村堂、2016年

■菊池省三・菊池道場『温かい人間関係を築き上げる「コミュニケーション科」の授業』中村堂、2020年

■菊池省三・菊池道場『子どもたちが生き生きと輝く 対話・話し合いの授業づくり』中村堂、2021年

■菊池省三・菊池道場『白熱する教室第25号』中村堂、2021年

■菊池省三・菊池道場『白熱する教室第26号』中村堂、2021年

【第5章 引用・参考文献】

■宇佐美寛『「議論の力」をどう鍛えるか』明治図書、1993年

■菊池省三『話し合い活動を必ず成功させるファシリテーションのワザ』学事出版、2011年

■菊池省三『子どもが変わる！学級が変わる！子ども熟議NOW！〜これからの対話

指導のあり方』教育同人社、2012年

■菊池省三他『教育技術MOOK 菊池省三の話し合い指導術』小学館、2012年

■菊池省三・菊池道場『コミュニケーション力あふれる「菊池学級」のつくり方』中村堂、2014年

■菊池省三・菊池道場『白熱する教室第25号』中村堂、2021年

【第6章　引用・参考文献】

■菊池省三・菊池道場『写真で見る 菊池学級の子どもたち「価値語」で人間を育てる』中村堂、2014年

■菊池省三・菊池道場『「白熱する教室」を創る8つの視点』中村堂、2019年

■菊池省三・菊池道場『白熱する教室第17号』中村堂、2019年

【第7章　引用・参考文献】

■宇佐美寛『「議論の力」をどう鍛えるか』明治図書、1993年

■上條晴夫『教室ディベート3 ディベートに強くなる本 これでディベート・ゲームがよくわかる』学事出版、1995年

■加留部貴行『参加したくなる会議のつくり方 公務員のためのファシリテーション入門』ぎょうせい、2021年

■菊池省三他『教育技術MOOK 菊池省三の話し合い指導術』小学館、2012年

■菊池省三・菊池道場『写真で見る 菊池学級の子どもたち「価値語」で人間を育てる』中村堂、2014年

■菊池省三・本間正人他『価値語ハンドブック100 考え方や行動をプラスに導く』中村堂、2016年

■菊池省三『菊池省三の学級づくり方程式』小学館、2016年

■菊池省三・菊池道場『個の確立した集団を育てる 学級ディベート』中村堂、2018年

■菊池省三『一人も見捨てない！菊池学級12か月の言葉かけ コミュニケーション力を育てる指導ステップ』小学館、2021年

おわりに

　飛込授業をしたあとに、先生方からの、
「黒板左端（５分の１黒板）の授業と、残りの黒板で展開される授業の
２つの授業がきれいに重なり合って１時間が過ぎていく、そんな感じを
参観していて感じました」
「５分の１黒板に書かれることが、子どもたちを自然に動かせていまし
た。動きのある対話的な学びが、価値語を書いて示されるたびにダイナ
ミックになっていく様子が素晴らしかったです」
　といった感想をよく耳にします。
　対話・話し合いを促す「５分の１黒板」の力を感じ取っていただける
ようです。話すだけではなく、タイミングよく書くことの効果にも気づ
いてくださるようです。

　授業を受けた子どもたちからは、
「黒板の使い方が今までの先生とは違いました。大切な言葉が黒板の端
にどんどん増えていきました。１時間が終わったら、『ぼくたちのがん
ばったこと』として残ったと感じています。黒板を消したくないです」
「先生が左側に書いたすべての言葉は、とても大切なものばかりです。
この時間だけではなく、全部の授業でも役立つ言葉ばかりです。みんな
で勉強する時に忘れてはいけないことだと思いました」
　といった感想をよくいただきます。
　対話・話し合いの仕方や友達との学び合い方を、体験を通して知るこ
とは、子どもたちにとってもうれしいことのようです。時には、担任の
先生に「５分の１黒板」を「消さないで」とお願いする子どもたちが出
てくるほどです。

「５分の１黒板」のもつ力の大きさを毎回感じています。
　本著は、菊池道場が「小学校発　本気の提案」と銘打って提案してい

る「コミュニケーション科叢書」の第3弾です。今回は、菊池学級の「ディベート的話し合い」と「子ども熟議」の動画を視聴できるようになっています。対話・話し合い授業のゴールイメージの一つにしていただけたら幸いです。

　ずいぶん以前から「高段の芸」と言われ続けてきた討論指導や、「主体的・対話的で深い学び」と言われながらもその指導方法が分からなかった対話・話し合いの指導も、この本で示した「5分の1黒板」を活用することで、誰もが成立させることができると考えます。それらの具体的な指導のあり方が明確になったのではないかと判断しているからです。

　執筆していただいた徳島支部のメンバーには感謝しています。特に、堀井悠平支部長には率先して取り組んでいただきました。今回の原稿執筆やそのとりまとめだけではなく、支部をチームとしてまとめ上げ、学びに向かう質の高い集団として育て続けている姿に頭が下がる思いです。

　本当にありがとうございました。これからも日本の教育のために力を合わせて前に進んでいきましょう。

　最後に、今回も中村堂の中村宏隆社長には、企画段階から原稿検討会、編集段階まで粘り強く応援していただきました。「コミュニケーション科」設立への熱い思いをいつも伝えていただき、私にとっても大きな大きな力となっています。深く感謝しています。ありがとうございます。

　本著が、新しい時代にふさわしい授業改革に確かな足跡を残すことを、私は心から信じています。

2021年（令和3年）12月7日
菊池道場　道場長　　菊池　省三

● 著者紹介……………………………………………………………………………………

菊池省三（きくち・しょうぞう）

1959 年愛媛県生まれ。「菊池道場」道場長。元福岡県北九州市公立小学校教諭。山口大学教育学部卒業。文部科学省の「『熟議』に基づく教育政策形成の在り方に関する懇談会」委員。2021 年度（令和 3 年度）高知県いの町教育特使、大分県中津市教育スーパーアドバイザー、三重県松阪市学級経営マイスター、岡山県浅口市学級経営アドバイザー　等。
著書は、「社会を生きぬく力は　小学校 1 時間の授業にあった（コミュニケーション科叢書 2)」「温かな人間関係を築き上げる『コミュニケーション科』の授業（コミュニケーション科叢書 1)」「子どもたちが生き生きと輝く 対話・話し合いの授業づくり」「教室の中の困ったを安心に変える 102 のポイント」(以上　中村堂) など多数。

菊池道場徳島支部　※原稿掲載順
　堀井悠平（ほりい・ゆうへい）／原内さやか（はらうち・さやか）／
　森下竜太（もりした・りゅうた)／佐藤みなみ（さとう・みなみ）／
　林大葵（はやし・たいき）／村岡陽平（むらおか・ようへい）／
　大西志帆（おおにし・しほ）／村上功洋（むらかみ・よしひろ）／
　冨浦みさき（とみうら・みさき）

カバー写真／乾孝治（いぬい・こうじ）
著者イラスト／冨浦みさき（とみうら・みさき）
動画撮影／中國達彬（なかくに・たつあき）

※ 2021 年 12 月 1 日現在のものです。

「5 分の 1 黒板」からの授業革命
新時代の白熱する教室のつくり方

2022 年 2 月 1 日　第 1 刷発行

　　著　／菊池省三　菊池道場徳島支部
発行者／中村宏隆
発行所／株式会社　中村堂
　　　　〒 104-0043　東京都中央区湊 3-11-7
　　　　湊 92 ビル 4F
　　　　Tel.03-5244-9939　Fax.03-5244-9938
　　　　ホームページ　http://www.nakadoh.com

編集・印刷・製本／株式会社丸井工文社

ISBN978-4-907571-80-1